POÉSIES
CHOISIES
——— II
(1560-1585)

——— *31e édition*

JE SÈME À TOUT VENT

Exportation interdite
au Canada, sauf auto-
risation de l'Éditeur.

Tel fut Ronſard, autheur de cét ouurage,
Tel fut ſon œil, ſa bouche & ſon viſage,
Portrait au vif de deux crayons diuers:
Icy le Corps, & l'Eſprit en ſes vers.

CLASSIQUES LAROUSSE

Fondés par
FÉLIX GUIRAND
Agrégé des Lettres

Dirigés par
LÉON LEJEALLE
Agrégé des Lettres

RONSARD

POÉSIES
CHOISIES
II

avec une Notice biographique, une Notice historique
et littéraire, des Notes explicatives, des Jugements,
un Questionnaire et des Sujets de devoirs,

par

PAUL MAURY
Agrégé des Lettres

LIBRAIRIE LAROUSSE • PARIS VI

13 à 21, rue Montparnasse, et boulevard Raspail, 114
Succursale : 58, rue des Écoles (Sorbonne)

PIERRE DE RONSARD ET SON TEMPS

	LA VIE ET L'ŒUVRE DE RONSARD	LE MOUVEMENT INTELLECTUEL ET ARTISTIQUE	LES ÉVÉNEMENTS HISTORIQUES
1524	10 ou 11 septembre : naissance de Pierre de Ronsard à Couture.	Érasme : *De libero arbitrio*. Luther : recueils de *Cantiques*, Construction de l'« Escalier du château de Blois ».	Le Milanais perdu, puis reconquis. Bayard tué. Révolte des paysans en Allemagne.
1533	Au collège de Navarre, à Paris, où il ne reste que six mois.	Maurice Scève découvre le tombeau de Laure de Noves. Naissance de Montaigne. Mort de l'Arioste.	Mariage du futur Henri II avec Catherine de Médicis. Henri VIII épouse Anne Boleyn. Il est excommunié.
1536	Page du dauphin François ; témoin de la mort de celui-ci à Tournon. Page de Charles, duc d'Orléans.	Premier séjour à Genève de Calvin. Mort d'Érasme, de Lefèvre d'Étaples.	François Ier signe les capitulations avec les Turcs. Genève opte pour la Réforme.
1537	Il suit en Écosse Madeleine de France, mariée à Jacques V.	Lazare de Baïf : traduction d'*Electre*. Première bible anglaise imprimée.	Réforme en Norvège.
1540	Nouveau voyage en Écosse et naufrage. Mis « hors de page ». Voyage en Allemagne avec Lazare de Baïf. Demi-surdité.	Dolet : *De la manière de bien traduire*. Érasme : première édition complète posthume. Mort de Guillaume Budé.	Paul III approuve les statuts des jésuites. Établissement des jésuites à Paris et à Rome. L'Espagne maîtresse du Milanais.
1543	Il est tonsuré au Mans par l'évêque René Du Bellay.	Copernic : *De revolutionibus orbium cælestium*. Dolet : traduction de Cicéron. Mort de Hans Holbein.	
1544	Mort de son père. Il suit les leçons de l'helléniste Dorat chez Lazare de Baïf.	Maurice Scève : *Délie*. Mort de Marot.	Victoire française à Cérisoles.
1547	Dorat, principal du collège de Coqueret. Ronsard et J. Antoine de Baïf l'y suivent.	Marguerite de Navarre : *les Marguerites de la marguerite des princesses*. Michel-Ange entreprend de continuer Saint-Pierre de Rome, commencé par Bramante.	Mort de François Ier et de Henri VIII. Avènement de Henri II. Charles Quint vainqueur des princes protestants allemands à Mühlberg. Mort de Fernand Cortés.
1550	Les quatre premiers livres des *Odes*, suivis du *Bocage*.	Théodore de Bèze : *Abraham sacrifiant*. Calvin : *De scandalis*. Débuts de l'imprimerie Plantin à Anvers.	Rachat de Boulogne à l'Angleterre. Dissolution de l'Église réformée de Ferrare.

Année	Ronsard	Littérature et arts	Histoire
1552	Les Amours. Le cinquième livre des Odes. Curé de Mareuil-lès-Meaux.	Jodelle : Cléopâtre captive. Baïf : Amours de Méline. Rabelais : Quart Livre. Naissance d'Agrippa d'Aubigné.	Siège de Metz, défendu par François de Guise contre Charles Quint. Camoëns emprisonné au Portugal.
1554	Deuxième Bocage. Mélanges. Curé de Challes.	Calvin : Defensio... Olivier de Magny : les Gayetez.	
1555	La Continuation des Amours. Les Hymnes. Curé et baron d'Availlé. Il rencontre Marie Dupin.	Jodelle : Didon. Louise Labé : Poésies. Palestrina : Messe du pape Marcel.	Paix d'Augsbourg. Avènement du pape Paul IV, qui restaure l'Inquisition. Les jésuites à Prague.
1559	Conseiller et aumônier ordinaire du roi.	Amyot : traduction de la Vie des hommes illustres de Plutarque. Du Bellay : le Poète courtisan. Calvin fonde l'académie de Genève.	Avril : Paix du Cateau-Cambrésis. Juillet : mort de Henri II. Avènement de François II. Premier synode des Églises réformées de France.
1560	Première édition collective des Œuvres (4 vol.).	Publication des Psaumes de Marot, à Genève. Mort de Du Bellay.	Conjuration d'Amboise. Mort de François II. Avènement de Charles IX.
1562	Les Discours.	Le Tasse : Rinaldo. Sainte Thérèse d'Avila écrit Libro de su vida. Naissance de Lope de Vega.	Massacre de huguenots à Wassy. Première guerre de Religion. Guise prend le pouvoir à Paris.
1563	Réponse aux injures et calomnies des ministres de Genève.	Mort d'Étienne de La Boëtie. On commence à bâtir l'Escurial. Véronèse peint les Noces de Cana.	Assassinat de François de Guise. Édit d'Amboise. Élisabeth Ire proclame les 39 articles organisant l'Église d'Angleterre. Fin du concile de Trente.
1565	Élégies, Mascarades et Bergerie. Participe au voyage de Charles IX à travers le royaume. Reçoit le roi dans son prieuré de Saint-Cosme-en-l'Isle.	Théodore de Bèze : Histoire de la vie et de la mort de Calvin. Mort de Louise Labé. Philibert Delorme construit les Tuileries.	
1572	La Franciade.	Amyot : les Œuvres morales de Plutarque. Montaigne commence les Essais.	Révolte des Pays-Bas contre l'Espagne. 24 août : nuit de la Saint-Barthélemy.
1578	Amours d'Hélène. Cinquième édition collective des Œuvres (7 vol.).	Du Bartas : la Création. Germain Pilon : Tombeau des mignons, à Saint-Paul.	
1585	27 décembre. — Mort de Ronsard à Saint-Cosme-en-l'Isle.	Robert Garnier : Œuvres.	Début de la VIIe guerre de Religion. Manifestation de Péronne.

10 ou 11 septembre 1524. — Naissance de Pierre de Ronsard à Couture (Vendômois).

1536. — Ronsard page du dauphin François, puis du duc d'Orléans.

1537-1539. — Séjours de Ronsard en Écosse.

1540. — Ronsard, « hors de page », devient écuyer du dauphin Henri. Séjour en Allemagne. Il rentre, malade, atteint d'une demi-surdité.

1543. — Il reçoit la tonsure.

1544. — Mort du père de Ronsard.

1544-1549. — Il suit chez Lazare de Baïf, puis au collège Coqueret, les leçons de l'helléniste Dorat. — La « Brigade ».

1550. — Les quatre premiers livres des *Odes*.

1552. — Les *Amours*. — Ronsard curé de Mareuil-lès-Meaux.

1554. — Ronsard curé de Challes.

1555-1556. — La *Continuation des Amours*. Les *Hymnes*. Ronsard curé-baron d'Availlé.

1559. — Ronsard conseiller et aumônier ordinaire du roi.

1560. — Première édition collective des *Œuvres* (4 tomes).

1562-1563. — Les *Discours*.

1565. — *Élégies, Mascarades et Bergerie*. Ronsard prieur de Saint-Cosme-en-l'Isle (Touraine).

1566. — Ronsard prieur de Croixval (Vendômois).

1572. — *La Franciade*.

Vers 1575. — Ronsard prieur de Saint-Gilles à Montoire (Vendômois).

1578. — Cinquième édition collective des *Œuvres* (7 volumes).

1584. — Sixième et dernière édition collective des *Œuvres* (in-folio).

27 décembre 1585. — Mort de Ronsard à Saint-Cosme.

1587. — Première édition collective posthume des *Œuvres* (10 tomes).

Ronsard avait trente ans environ de moins que Rabelais, vingt-huit ans de moins que Marot, seize ans de moins que Dorat, quinze ans de moins que Calvin, trois ans de moins que Pontus de Tyard, deux ans de moins que J. Du Bellay. Il avait quatre ans de plus que R. Belleau, huit ans de plus que Jodelle et que Baïf, neuf ans de plus que Montaigne, vingt-deux ans de plus que Desportes, vingt-huit ans de plus qu'A. d'Aubigné, trente et un ans de plus que Malherbe.

TROISIÈME PARTIE

LE POÈTE DES ROIS

(1560-1572)

> Je sers à qui je veux, j'ai libre le courage.
> (*Réponse...* 1563.)

Ce qui se passait de 1560 à 1572. — En politique. *Dernière session du concile de Trente (1560-1563). Michel de L'Hôpital, chancelier ; mort de François II ; avènement de Charles IX (1560). Départ de Marie Stuart pour l'Écosse ; échec du colloque de Poissy (1561). Édit de janvier (1562).* — *Première guerre de Religion : affaire de Wassy ; les Anglais au Havre ; bataille de Dreux (1562). Assassinat du duc François de Guise ; édit d'Amboise (1563). Tournée de pacification de la cour à travers la province (1564). Deuxième et troisième guerre de Religion (1567-1570). Disgrâce de L'Hôpital (1568). La Saint-Barthélemy (1572).* — *Captivité de Marie Stuart en Angleterre (1568). Bataille de Lépante (1571). Soulèvement des Pays-Bas contre l'Espagne (1572).*

Dans les arts. Arts plastiques. *Michel-Ange : coupole de Saint-Pierre. Titien :* Jupiter et Antiope *(1561). Véronèse : les Noces de Cana (1563). Philippe II fait commencer l'Escurial (1563).* — *Germain Pilon : tombeau de Henri II ; monument du cœur de Henri II. Philibert Delorme : les Tuileries (1564). Niccolo dell' Abbate : galerie d'Ulysse, à Fontainebleau. François Clouet :* portrait de Charles IX *(1570) ; morion et bouclier de Charles IX ; reliures du bibliophile Grolier.*

Musique. *Animuccia : les* laudi spirituali *(prototype de l'oratorio) ; Goudimel : musique pour les odes d'Horace et les Psaumes (1565) ; Mélange de cent quarante-huit chansons, avec Préface de Ronsard (1560) ; Roland de Lassus en France (1571).*

En littérature. En France, *Pasquier :* Recherches de la France *(à partir de 1560). B. Palissy :* Recette véritable... *(1563). Baïf : fondation d'une Académie de poésie et de musique (1570). Montluc commence à écrire ses* Commentaires *(1570). Henri Estienne :* Dictionnaire de la langue grecque *(1572).* — Au Portugal, *Camoëns : les* Lusiades *(1572).* — En Italie, *le Tasse :* Rinaldo *(1562).*

Ronsard de 1560 à 1572. — 1º *La vie et l'œuvre : Les Discours* (1562, 1563), cf. *42* à *46*. — *Abrégé de l'art poétique français ; Élégies, Mascarades et Bergerie* (1565), recueil dédié à la reine Élisabeth d'Angleterre ; la *Bergerie* est dédiée à Marie Stuart ; la reine Élisabeth lui fait don d'un diamant ; la reine d'Écosse lui envoie un buffet de vaisselle d'argent, de 2 000 écus, avec cette inscription : « A Ronsard, l'Apollon des Français ». — Ronsard prieur de Saint-Cosme-en-l'Isle, près de Tours (1565) ; la famille royale y visite le poète (novembre 1565). — En Écosse, d'après Brantôme, le gentilhomme Chastellard, condamné à mort pour avoir outragé la reine Marie, monte sur l'échafaud les *Hymnes* à la main et « pour son éternelle consolation, se mit à lire entièrement *l'Hymne de la Mort* [...] ne s'aidant aucunement d'autre livre spirituel, ni de ministre, ni de confesseur » (vers 1565). — Ronsard prieur-baron de Croixval en Vendômois (1566). — Charles IX demande au cardinal infant de Portugal, la croix de l'Ordre du Christ pour Ronsard « personnage excellent en savoir et qui nous a fait de grands et signalés services en l'honneur de nous et de la république française » (1570). — Les quatre premiers livres de *la Franciade*, dédiés à Charles IX (1572).

Ronsard est, dans sa maturité, le poète des rois et de la patrie. Ses sujets sont empruntés à l'actualité ou au passé légendaire de la France et de la dynastie. Ses œuvres sont des œuvres de circonstance ou de commande ; elles n'en sont pas moins marquées d'une forte personnalité.

2º *Les Discours.* — La crise nationale et religieuse qui s'ouvre vers 1560, trouve Ronsard à un âge où le citoyen, pour peu qu'il soit provoqué, perce chez le poète (cf. Hugo et Lamartine vers 1840). Il est naturel que le « gentilhomme vendômois », attaché par tant de liens à la terre et à la famille royale, se soit senti contraint, par une voix plus impérieuse que celle de l'intérêt matériel (quelques arpents de jardins de prieurés à sauvegarder), à prendre position contre les réformés, qui lui paraissaient ébranler si gravement l'autorité royale et compromettre l'unité nationale ; il est naturel, que, comme pour beaucoup de catholiques d'une austérité plus exemplaire que la sienne, il ait défendu contre l' « opinion » diviseuse l'Église traditionnelle dont il a dit loyalement les abus, mais qui semblait plus « habitable » à un poète de la Renaissance que le rigide calvinisme, si sévère pour les images de l'artiste et les fantaisies des poètes ; il est naturel qu'attaqué grossièrement dans sa vie privée et dans son œuvre il ait répondu avec colère. Dans cette furieuse polémique, Ronsard a su exprimer, sous une forme admirable, une conception du prince (*42*), de la patrie (*43*, *44*), de la religion (*45*), de la poésie (*46*), qu'on retrouve chez les légistes et les humanistes du temps. Entre Rabelais et Montaigne, ces discours passionnés marquent une étape de la pensée au XVIᵉ siècle. D'autre part, le poète trouvait là une occasion de se renouveler encore une fois ; lyrique et contemplatif, il devenait militant ; le bel alexandrin des *Hymnes* sonne avec superbe ; le langage est ferme, net et solide ; le style, d'abord sentencieux (*42*), se fait, de discours en discours (*44*, *45*), plus véhément ; on peut dire que Ronsard a créé l'éloquence en vers : tantôt il annonce Corneille ; tantôt il annonce les âpres lutteurs, un d'Aubigné, un Chénier, un Hugo, qui se sont fait une arme de cette *plume de fer* (*44*) qu'il leur a léguée.

3° *Le poète des rois*. — Pendant le règne de Charles IX, Ronsard est le poète de la cour. C'était pour Ronsard une manière encore, souvent ingrate, de servir. Dans les livrets qu'il compose alors pour les ballets (*mascarades*) où la reine mère essayait de réconcilier les nobles ennemis de la veille, il contribuait, à sa façon, à la politique de pacification inaugurée par Catherine de Médicis après la paix d'Amboise. Dans ses églogues, comme la *Bergerie* de 1565 (*50*), où paraît, sous la convention que le genre bucolique connaissait déjà dans l'Antiquité et que la Renaissance avait remise à la mode, un frais sentiment de la vie champêtre, il fait dialoguer sous le regard attendri de la veuve de Henri II (*48*) les jeunes princes, adversaires de demain. Pour les reines Élisabeth et Marie Stuart (*49*), les rivales de toujours, il reprend sa plume d'or, et il en reçoit de riches présents. Mais sa muse, quand elle s'adresse aux souverains, ne s'abaisse pas : elle sait mêler à la flatterie de rigueur tantôt la tendresse, tantôt la leçon. À la « très illustre et très vertueuse » reine d'Angleterre, par exemple, qui a gardé Calais dans son cœur, il fait esquisser, comme en se jouant, par Protée le dieu des mers, un programme d'alliance franco-britannique :

> N'offensez point par armes ni par noise,
> Si m'en croyez, la province [*royaume*] gauloise...
> Le Gaulois semble au saule verdissant :
> Plus on le coupe et plus il est naissant,
> Et rejetonne en branches davantage,
> Prenant vigueur de son propre dommage.
> Pour ce, vivez comme amiables sœurs :
> Par les combats les sceptres ne sont sœurs [*sûrs*].
> Quand vous serez ensemble bien unies,
> L'amour, la foi, deux belles compagnies,
> Viendront, çà-bas le cœur vous échauffer,
> Puis, sans harnais, sans armes et sans fer,
> Et sans le dos d'un corselet vous ceindre,
> Ferez vos noms par toute Europe craindre,
> Et l'âge d'or verra de toutes parts
> Fleurir les lis entre les léopards[1] (1565).

On n'a jamais mêlé à une pièce officielle (celle-ci lui avait été commandée par la politique de Catherine de Médicis), plus d'ingéniosité, plus de foi sincère dans les destinées de la vieille Gaule, plus de poésie. Aussi Ronsard était-il aimé et admiré de ceux-là qu'il servait. Le jeune roi, qui goûtait la poésie dont Ronsard s'applique

---

1. Il s'agit des léopards qui figurent dans les armoiries du royaume d'Angleterre.

à lui révéler les secrets, adore comme lui la chasse : Ronsard écrit en son honneur l'épitaphe de la chienne Courte, lui offre les melons de son prieuré (*51*) et entreprend pour lui *la Franciade*, épopée nationale et dynastique, annoncée dès 1549, exécutée en déca-syllabes, vers des vieilles *gestes*, que le roi estimait plus épique que l'alexandrin. La légende qui en fait le sujet avait vaguement flotté sur le Moyen Age, et Jean Lemaire de Belges, au début du siècle, l'avait contée dans ses *Illustrations de Gaule* : Astyanax, fils d'Hector, surnommé Francus (Phèregchos, qui porte l'épée), remonte le Danube, conquiert la Gaule, donne à Lutèce le nom troyen de Paris, et fonde la dynastie royale de France. Ronsard fit paraître, en 1572, les quatre premiers livres; livre I : *Francus quitte l'Épire ;* livre II : *Tempête, naufrage ; en Crète ; combat de Francus et du géant Phovère ;* livre III : *Amour des filles du roi pour Francus, l'une d'elles se tue ;* livre IV : *L'autre est une magicienne qui lui fait voir dans l'avenir les rois ses descendants...* La mort de Charles IX, deux ans après, empêcha l'auteur de pousser son œuvre jusqu'au douzième ou vingt-quatrième livre : il sentit qu'il avait fait fausse route. Cette épopée artificielle était manquée; elle est très inférieure au *Roland* de l'Arioste, son aînée, comme aux *Lusiades* de Camoëns ou à la *Jérusalem* du Tasse, ses contem-poraines. Il est vrai qu'on y peut remarquer un effort consciencieux pour combiner l'imitation de l'épopée des Anciens avec l'inspira-tion patriotique et cette curiosité des antiquités et de l'histoire nationales qui s'éveille, encore timidement, chez les Français, au fort même de la crise qu'ils traversent (*53* et *54*). Et puis, une sève toujours drue monte dans ces beaux vers à la gloire des traditions.

C'est que Ronsard, hôte des passions du siècle, et serviteur des rois, n'a rien perdu de son génie : s'il l'agrandit de l'âme nationale, son « courage » reste « libre » dans ces luttes où il mûrit, et il reste lié à sa terre natale. Quand, dans l'intervalle des polémiques furieuses ou des fêtes royales qu'il anime de son chant, il pend au croc son harnois, las de l'action, las de la cour, — il revient écouter les Muses vendômoises : les chemins de ses prieurés le revoient pensif, Ovide à la main, prêchant avec une bonhomie exquise Amadis Jamyn, et cueillant aux bords des fossés, pour mettre au vert sa fièvre, la pâquerette et la pimprenelle (*52*), les herbes naïves des champs après les noirs lauriers.

Pour la bibliographie, voir tome I, page 10.

42. — INSTITUTION[1]

POUR L'ADOLESCENCE DU ROI
TRÈS CHRÉTIEN[2], CHARLES NEUVIÈME DU NOM

Sire ce n'est pas tout que d'être roi de France[3] :
Il faut que la vertu honore votre enfance;
Car un roi sans vertu porte le sceptre en vain,
Qui ne lui est sinon un fardeau dans la main.
[. . . . .]
12   Un roi pour être grand ne doit rien ignorer :
Il ne doit seulement savoir l'art de la guerre,
De garder les cités ou les ruer[4] par terre,
15 De piquer les chevaux, ou contre son harnois[5]
Recevoir mille coups de lances aux tournois;
De savoir comme il faut dresser une embuscade,
Ou donner une cargue[6] ou une camisade[7],
Se ranger en bataille et sous les étendards
20 Mettre par artifice[8] en ordre les soldards.
Les rois les plus brutaux telles choses n'ignorent,
Et par le sang versé leurs couronnes honorent;
Tout ainsi que lions qui s'estiment alors
De tous les animaux être vus les plus forts,
25 Quand[9] ils ont dévoré un cerf au grand corsage[10]
Et ont rempli les champs de meurtre et de carnage.
Mais les princes mieux nés n'estiment leur vertu
Procéder ni de sang ni de glaive pointu,
Ni de harnois ferrés[11] qui les peuples étonnent,
30 Mais par[12] les beaux métiers que les Muses nous donnent.
[. . . . .]
      Il faut premièrement apprendre à craindre Dieu[13],
60 Dont vous êtes l'image et porter au milieu
De votre cœur son nom et sa sainte parole,
Comme le seul recours dont l'homme se console.

1. Instruction. Composée en 1561, publiée en 1562, à part (texte de 1584);
2. Titre que portaient les rois de France; Charles IX avait onze ans; **3.** Charles IX venait d'être sacré à Reims, le 15 mai 1561; **4.** Renverser. Cf. 37, v. 30; **5.** Ensemble de l'armure; **6.** Donner la charge; **7.** Attaque nocturne (les assaillants mettaient une *chemise* blanche sur leur armure, pour se reconnaître); **8.** Avec art; **9.** *Alors ... quand :* alors ... que; **10.** Corps, taille; **11.** De fer; **12.** Par le moyen de; **13.** Cf. le discours latin de Michel de L'Hôpital sur l'*Institution de François II* (1559) : « Premièrement, ô noble roi, tu dois avoir comme guide de ton autorité la crainte et le respect perpétuels de la sainte divinité [...] c'est toi qui la remplaces ici-bas. [...] Mets donc autant que possible tes actes et paroles en rapport avec ceux du Christ et fais-les remonter à lui ».

En après[1] si voulez en terre prospérer,
Vous devez votre mère[2] humblement honorer,
65 La craindre et la servir, qui seulement de mère
Ne vous sert pas ici, mais de garde et de père.

Après, il faut tenir[3] la loi de vos aïeux,
Qui furent rois en terre et sont là-haut aux cieux;
Et garder que le peuple imprime en sa cervelle
70 Le curieux discours d'une secte nouvelle.

Après, il faut apprendre à bien imaginer.
Autrement la raison ne pourrait gouverner :
Car tout le mal qui vient à l'homme prend naissance
Quand par sus[4] la raison le cuider[5] a puissance.

[. . . . .]

131 Ne soyez point moqueur, ni trop haut à la main[6],
Vous souvenant toujours que vous êtes humain[7],
Ne pillez vos sujets par rançons ni par tailles[8],
Ne prenez[9] sans raison ni guerres ni batailles;
135 Gardez le vôtre propre[10] et vos biens amassés;
Car pour vivre content vous en avez assez.

S'il vous plaît vous garder sans archer de la garde,
Il faut que d'un bon œil le peuple vous regarde,
Qu'il vous aime sans crainte; ainsi les puissants rois
140 Ont conservé le sceptre, et non par le harnois.

Comme le corps royal ayez l'âme royale;
Tirez le peuple à vous d'une main libérale,
Et pensez que le mal le plus pernicieux
C'est un prince sordide et avaricieux.

145 Ayez autour de vous personnes vénérables[11],
Et les oyez parler volontiers vos tables;
Soyez leur auditeur comme fut votre aïeul[12],
Ce grand François, qui vit encores au cercueil.

Soyez comme un bon prince amoureux de la gloire
150 Et faites que de vous se remplisse une histoire,
Du temps victorieux[13], vous faisant immortel

---

1. Ensuite; 2. Catherine de Médicis, régente; 3. Maintenir. Au sacre, le roi
s'engageait à défendre la religion établie contre l'hérésie; 4. Sur; 5. La présomption (cf. *outrecuidance*); 6. Arrogant (terme d'équitation : le cheval est
lourd, dur, haut... à la main); 7. Un homme; 8. Cf. Michel de L'Hôpital *(ibi-
dem)* : « Il sera juste et honnête de remettre beaucoup d'impôts au peuple; le
roi qui de peu se contente ne doit que demander peu; [...] il administrera ses
revenus avec sagesse et raison (cf. v. 155); qu'il n'invente aucun mauvais pré-
texte pour attirer l'argent dans ses coffres »; 9. Entreprenez; 10. *Votre* bien
propre ; 11. Cf. Michel de L'Hôpital : « Qu'il soit toujours environné d'amis
éclairés et fidèles, sans lesquels il n'entreprenne rien d'important, de difficile
ou de dispendieux... »; 12. Grand-père; 13. Se rapporte à *vous* (v. 150).

Comme Charles le Grand[1] ou bien Charles Martel.
    Ne souffrez que les grands blessent le populaire;
Ne souffrez que le peuple au grand puisse déplaire.
155 Gouvernez votre argent par sagesse et raison :
Le prince qui ne peut gouverner sa maison,
Sa femme, ses enfants et son bien domestique,
Ne saurait gouverner une grand[2] république[3].
    Pensez longtemps devant que faire aucuns édits;
160 Mais sitôt qu'ils seront devant le peuple mis,
Qu'ils soient pour tout jamais d'invincible puissance,
Car autrement vos lois sentiraient leur enfance.
    Ne vous montrez jamais pompeusement vêtu[4];
L'habillement des rois est la seule vertu.
165 Que votre corps reluise en vertus glorieuses,
Et non pas vos habits de perles précieuses.
    D'amis plus que d'argent montrez-vous désireux;
Les princes sans amis sont toujours malheureux.
Aimez les gens de bien, ayant toujours envie
170 De ressembler à ceux qui sont de bonne vie.
    Punissez les malins[5] et les séditieux;
Ne soyez point chagrin, dépit[6] ni furieux;
Mais honnête et gaillard[7], portant sur le visage
De votre gentille[8] âme un gentil témoignage.
175   Or, Sire, pour autant que nul n'a le pouvoir
De châtier les rois qui font mal leur devoir,
Punissez-vous vous-même, afin que la justice
De Dieu, qui est plus grand, vos fautes ne punisse.
    Je dis ce puissant Dieu dont l'empire est sans bout,
180 Qui de son trône assis en la terre voit tout
Et fait à un chacun ses justices égales,
Autant aux laboureurs qu'aux personnes royales;
Lequel je supplirai vous tenir[9] en sa loi,
Et vous aimer autant qu'il fit[10] David son roi,
185 Et rendre comme à lui votre sceptre tranquille,
Car sans l'aide de Dieu la force est inutile.

---

1. Charlemagne; pour Charles Martel, cf. **54**; **2.** Féminin; **3.** État; **4.** Cf. Michel de L'Hôpital : « Il mettra un terme au luxe effréné de notre siècle, et il ramènera dans les habillements et les services de table la modeste simplicité de nos pères »; **5.** Méchants; **6.** Prompt à *se dépiter*, irascible; **7.** De bonne humeur; **8.** Noble; **9.** Maintenir; **10.** Aima.

43. — DISCOURS DES MISÈRES DE CE TEMPS[1]
à la reine Catherine de Médicis.

[. . . . .]

43   Las! Madame, en ce temps que le cruel orage
Menace les Français d'un si piteux naufrage,

45   Que la grêle et la pluie et la fureur des cieux
Ont irrité la mer de vents séditieux,
Et que l'astre jumeau[2] ne daigne plus reluire,
Prenez le gouvernail de ce pauvre navire,
Et, malgré la tempête et le cruel effort

50   De la mer et des vents, conduisez-le[3] à bon port.
      La France à jointes mains vous en prie et reprie,
Las! qui sera bientôt et proie et moquerie
Des Princes étrangers[4], s'il ne vous plaît en bref
Par votre autorité apaiser son méchef[5].

55   Ha! que diront là-bas[6], sous les tombes poudreuses,
De tant de vaillants rois les âmes généreuses?
Que dira Pharamond[7], Clodion[8] et Clovis[9],
Nos Pépins[10], nos Martels[11], nos Charles, nos Loïs[12],

1. Fin mai 1562, publié à part (texte de 1578); **2.** Les Gémeaux ou les Dioscures, Castor et Pollux, astré double qui passait pour protéger les navigateurs; **3.** S'élide; **4.** Les catholiques cherchaient l'appui des Espagnols, les protestants celui des Anglais, à qui Le Havre fut livré (juillet); **5.** Malheur; **6.** Cf. 25, v. 8; **7.** Premier roi de France, d'après une légende déjà très contestée au XVIe siècle, fondateur de la dynastie mérovingienne. Cf. *la Franciade*, IV :

> Quel est celui de royale apparence
> Qui d'un grand pas tous les autres devance,
> Et d'olivier se couronne le front?
> Elle répond : « C'est le roi Pharamond. »

Cf. Chateaubriand : *les Martyrs*, VI; **8.** Clodion le Chevelu, prédécesseur de Mérovée. Cf. *la Franciade*, IV :

> Quel est ce prince appuyé d'une hache [la francisque]
> Qui tout son chef ombrage d'un panache,
> Au front sévère, aux yeux gros et ardents
> A longue barbe, aux longs cheveux pendants?

9. Le cinquième roi, le premier roi chrétien; mort en 511; son tombeau, dans la basilique Sainte-Geneviève [emplacement de la rue Clovis], démolie en 1802, figurait à côté de ceux de la patronne de Paris et de la reine Clotilde; **10.** Pépin le Bref, vingt-troisième roi, le premier des Carolingiens, père de Charlemagne, fils de Charles Martel. Tombeau dans la basilique de Saint-Denis; **11.** « Prince des Français », fils de Pépin d'Héristal. Tombeau à Saint-Denis. Cf. 53; **12.** *La plupart* des Capétiens qui avaient porté le nom de Louis étaient ensevelis à Saint-Denis.

Qui de leur propre sang à tous périls de guerre
60 Ont acquis à leurs fils une si belle terre?
    Que diront tant de ducs, et tant d'hommes guerriers
Qui sont morts d'une plaie au combat les premiers,
Et pour France ont souffert tant de labeurs extrêmes,
La voyant aujourd'hui détruire par soi-mêmes[1]?
65   Ils se repentiront d'avoir tant travaillé,
Assailli, défendu, guerroyé, bataillé,
Pour un peuple mutin divisé de courage,
Qui perd en se jouant un si bel héritage,
Héritage opulent, que toi, peuple qui bois
70 La Tamise albionne, et toi, More[2] qui vois
Tomber le chariot du soleil sur ta tête,
Et toi, race Gothique aux armes toujours prête,
Qui sens la froide bise en tes cheveux venter,
Par armes n'avez su ni froisser ni dompter.
[. . . . .]

115   O toi, historien, qui d'encre non menteuse
Écris de notre temps l'histoire monstrueuse,
Raconte à nos enfants tout ce malheur fatal,
Afin qu'en te lisant ils pleurent notre mal,
Et qu'ils prennent exemple aux péchés de leurs pères,
120 De peur de ne tomber en pareilles misères.
    De quel front, de quel œil, ô siècles inconstants,
Pourront-ils regarder l'histoire de ce temps;
En lisant que l'honneur et le sceptre de France,
Qui depuis si long âge avait pris accroissance,
125 Par une opinion nourrice des combats
Comme une grande roche est[3] bronché[4] contre-bas?
[. . . . .]

    Ce monstre[5] arme le fils contre son propre père,
165 Et le frère (ô malheur!) arme contre son frère,
La sœur contre la sœur, et les cousins germains
Au sang de leurs cousins veulent tremper leurs mains;
L'oncle hait son neveu, le serviteur son maître;
La femme ne veut plus son mari reconnaître;

1. L's a longtemps été la caractéristique de l'adverbe : cf. *jusques, ores, avecques ;* 2. Cf. 54; 3. Accord avec un seul sujet; 4. Tombé à demi, par suite d'un faux pas, *renversé ;* 5. L'Opinion, fille de Présomption et de Jupiter qui l'a créée, dit Ronsard dans le passage intermédiaire, pour punir les hommes de leur curiosité; elle a la tête pleine de vent, les jambes de laine. et loge chez les théologiens.

170 Les enfants sans raison disputent de la foi,
Et tout à l'abandon va sans ordre et sans loi.
    L'artisan par ce monstre a laissé sa boutique,
Le pasteur ses brebis, l'avocat sa pratique,
Sa nef le marinier, sa foire le marchand,
175 Et par lui le prud'homme est devenu méchant.
L'écolier se débauche, et de sa faux tortue
Le laboureur façonne une dague pointue[1],
Une pique guerrière il fait de son râteau,
Et l'acier de son coutre il change en un couteau.
180   Morte est l'autorité; chacun vit à sa guise;
Au vice déréglé la licence est permise;
Le désir, l'avarice et l'erreur[2] insensé
Ont c'en dessus dessous le monde renversé.
On a fait des lieux saints une horrible voirie[3],
185 Une grange, une étable et une porcherie[4],
Si bien que Dieu n'est sûr en sa propre maison.
Au ciel est[5] revolée et Justice et Raison,
Et en leur place, hélas! règle[5] le brigandage,
La force, le harnois, le sang et le carnage.
190   Tout va de pis en pis; le sujet a brisé
Le serment qu'il devait à son roi méprisé;
Mars, enflé de faux zèle et de fausse apparence,
Ainsi qu'une furie agite notre France,
Qui, farouche[6] à son prince, opiniâtre suit
195 L'erreur d'un étranger[7] et folle se détruit.
    Tel voit-on le poulain, dont la bouche trop forte
Par bois et par rochers son écuyer emporte,
Et malgré l'éperon, la houssine[8] et la main,
Se gourme de[9] sa bride et n'obéit au frein :
200 Ainsi[10] la France court en armes divisée,
Depuis que la Raison n'est plus autorisée[11].
[. . . . .]

---

1. Cf. Virgile (*Géorgiques*, I, 508) : « Les faux recourbées sont converties par la forge en épées droites »; **2.** Masculin; **3.** Dépôt d'ordures ramassées sur les voies; **4.** Allusions aux pillages des églises par les protestants et aux profanations des reliques et des tombeaux, comme celui de Louis XI, à Cléry; **5.** Accord du verbe avec le sujet le plus proche; **6.** Rebelle; **7.** Luther; **8.** Baguette de *houx* servant de cravache; **9.** Se révolte contre; **10.** Deuxième terme de la comparaison, en corrélation avec *Tel* du v. 196. Cf. 44, v. 353; **11.** N'a plus d'autorité.

44. — CONTINUATION DU DISCOURS DES MISÈRES DE CE TEMPS[1]
à la reine Catherine de Médicis.

Madame, je serais ou du plomb ou du bois,
Si moi que la nature a fait naître François,
Aux races à venir je ne contais la peine
Et l'extrême malheur dont notre France est pleine.
5 Je veux de siècle en siècle au monde publier
D'une plume de fer sur un papier d'acier,
Que ses propres enfants l'ont prise et dévêtue,
Et jusques à la mort vilainement battue.
[. . . . .]
95 De Bèze[2], je te prie, écoute ma parole,
Que tu estimeras d'une personne folle :
S'il te plaît toutefois de juger sainement,
Après m'avoir ouï tu diras autrement.
La terre qu'aujourd'hui tu remplis toute d'armes,
100 Et de nouveaux chrétiens déguisés en gendarmes
(O traître pitié), qui du pillage ardents
Naissent dessous ta voix, tout ainsi que des dents
Du grand serpent Thébain les hommes qui muèrent
Le limon en couteaux dont ils s'entretuèrent,
105 Et nés et demi-nés se firent tous périr,
Si qu'[3]un même soleil les vit naître et mourir[4],
Ce n'est pas une terre allemande ou gothique
Ni une région tartare ni scythique,
C'est celle où tu naquis, qui douce te reçut,
110 Alors qu'à Vézelay ta mère te conçut;
Celle qui t'a nourri et qui t'a fait apprendre
La science et les arts dès ta jeunesse tendre,
Pour lui faire service et pour en bien user,
Et non, comme tu fais, à fin d'en abuser.
115 Si tu es envers elle enfant de bon courage,
Ores que tu le peux, rends-lui son nourrissage[5],

1. Entre juillet-octobre 1562, publiée à part (texte de 1578); 2. Théodore de Bèze, né à Vézelay en 1519, écrivain, avait fréquenté la « Brigade » dans sa jeunesse; second de Calvin à Genève; hostile depuis longtemps à la poésie nouvelle (cf. *Jugements*); venait de représenter le protestantisme avec autorité au colloque de Poissy (1561); 3. Si bien que; 4. Allusion à la légende thébaine de Cadmos, qui avait tué un dragon; il en sema les dents dont naquirent des hommes qui s'entretuèrent pour la plupart; 5. Les bienfaits que tu lui dois pour t'avoir élevé.

Retire tes soldats, et au lac Genevois,
Comme chose exécrable, enfonce leur harnois.
Ne prêche plus en France une Évangile[1] armée,
120 Un Christ empistolé[2] tout noirci de fumée,
Qui comme un Méhémet[3] va portant dans la main
Un large coutelas rouge de sang humain.
Cela déplaît à Dieu; cela déplaît au Prince :
Cela n'est qu'un appât qui tire la province[4]
125 A la sédition, laquelle dessous toi
Pour avoir liberté ne voudra plus de roi.
[. . . . .]

[*Prosopopée de la France. La France, vêtue d'une robe
fleurdelysée en haillons, est apparue au poète et l'a chargé de
publier le crime des hérétiques. C'est elle qui parle.*]

335 « Comme ces laboureurs, dont les mains inutiles
Laissent pendre l'hiver un toufeau[5] de chenilles
Dans une feuille sèche au faîte d'un pommier;
Si tôt que le soleil de son rayon premier
A[6] la feuille échauffée, et qu'elle est arrosée
340 Par deux ou par trois fois d'une tendre rosée,
Le venin, qui semblait par l'hiver consumé,
En chenilles soudain apparaît animé,
Qui tombent de la feuille, et rampent à grand'peine,
D'un dos entre-cassé au milieu de la plaine.
345 L'une monte en un chêne et l'autre en un ormeau,
Et toujours en mangeant se traînent au coupeau[7];
Puis descendent à terre et tellement se paissent
Qu'une seule verdure en la terre ne laissent.
Alors le laboureur voyant son champ gâté[8],
350 Lamente[9] pour néant[10] qu'[11]il ne s'était hâté
D'étouffer de bonne heure une telle semence;
Il voit que c'est sa faute et s'en donne l'offense[12] :
  « Ainsi[13] lorsque mes rois aux guerres s'efforçaient,
Toutes en un monceau ces chenilles croissaient!
355 Si qu'[14]en moins de trois mois telle tourbe[15] enragée
Sur moi s'est épandue, et m'a toute mangée... »
[. . . . .]

1. Féminin; 2. Armé d'un pistolet; 3. Mahomet; 4. Royaume; 5. Touffe;
6. Auxiliaire séparé du participe; 7. Sommet; encore usité au XVIIᵉ siècle;
8. Dévasté; 9. Se lamente; 10. Inutilement; 11. De ce que; 12. S'en attribue
la faute; mot de la langue théologique; 13. En corrélation avec *comme* (v. 335) :
c'est le deuxième terme de la comparaison; 14. Si bien que; 15. Foule.

45. — REMONTRANCE
AU PEUPLE DE FRANCE[1]

[. . . . .]

Certes, si je n'avais une certaine[2] foi
Que Dieu par son esprit de grâce a mis en moi,
Voyant la chrétienté n'être plus que risée,
60 J'aurais honte d'avoir la tête baptisée,
Je me repentirais d'avoir été chrétien,
Et comme les premiers[3] je deviendrais païen.

La nuit j'adorerais les rayons de la lune,
Au matin, du soleil la lumière commune,
65 L'œil du monde[4] : et si Dieu au chef porte des yeux,
Les rayons du Soleil sont les siens radieux,
Qui donnent vie à tous, nous maintiennent et gardent,
Et les faits des humains en ce monde regardent :
Je dis ce grand Soleil qui nous fait les saisons,
70 Selon qu'il entre ou sort de ses douze maisons[5];
Qui remplit l'univers de ses vertus connues;
Qui d'un trait de ses yeux nous dissipe les nues;
L'esprit, l'âme du monde, ardent et flamboyant,
En la course d'un jour tout le ciel tournoyant[6]
75 Plein d'immense grandeur, rond, vagabond et ferme,
Lequel tient dessous lui tout le monde pour terme[7],
En repos sans repos, oisif et sans séjour[8],
Fils aîné de Nature et le père du jour[9].

J'adorerais Cérès qui les blés nous apporte,
80 Et Bacchus qui le cœur des hommes réconforte,
Neptune, le séjour des vents et des vaisseaux,
Les Faunes, et les Pans, et les Nymphes des eaux,
Et la Terre, hôpital[10] de toute créature,
Et ces Dieux que l'on feint[11] ministres de Nature.

85 Mais l'Évangile saint du Sauveur Jésus-Christ
M'a fermement gravée[12] une foi dans l'esprit
Que je ne veux changer pour une autre nouvelle;

---

1. Composée en décembre 1562, publiée en janvier 1563; **2.** Solide, ferme; **3.** Les premiers hommes; **4.** Expression fréquente dans la poésie antique; **5.** Les douze signes du Zodiaque; **6.** Parcourant dans sa révolution; **7.** Espace à parcourir. Cf. La Fontaine : « Nos termes sont pareils par leur courte durée »; **8.** Demeure fixe; **9.** Cf. Montaigne (*Essais*, II, XII) [Apologie de Raymond de Sebonde] (1580) : « Des (divinités) auxquelles on a donné corps, comme la nécessité l'a requis, parmi cette cécité universelle [les temps antérieurs à la révélation chrétienne], je me fusse, ce me semble, plus volontiers attaché à ceux qui adoraient le Soleil. » Il cite ensuite les v. 65-78; **10.** Hôtel, séjour; **11.** Imagine comme; **12.** Accord avec le complément. Cf. 17, v. 2.

Et dussé-je endurer une mort très cruelle,
De tant de nouveautés je ne suis curieux[1],
90 Il me plaît d'imiter le train de mes aïeux.
Je crois qu'en paradis ils vivent à leur aise,
Encor qu'ils n'aient suivi ni Calvin ni de Bèze.

Dieu n'est pas un menteur, abuseur ni trompeur,
De sa sainte promesse il ne faut avoir peur,
95 Ce n'est que Vérité, et sa vive parole
N'est pas comme la nôtre incertaine et frivole.
« L'homme qui croit en moi, dit-il, sera sauvé. »
Nous croyons tous en toi ! Notre chef est lavé
En ton nom, ô Jésus, et dès notre jeunesse
100 Par foi nous espérons en ta sainte promesse.
[. . . . .]

[*Il n'est pas difficile de faire profession de calvinisme.*]

195 Il ne faut pas avoir beaucoup d'expérience
Pour être exactement docte en votre science :
Les barbiers, les maçons en un jour y sont clercs,
Tant vos mystères saints sont cachés et couverts !
Il faut tant seulement avecques hardiesse
200 Détester le Papat[2], parler contre la messe,
Être sobre en propos, barbe longue[3] et le front
De rides labouré, l'œil farouche et profond,
Les cheveux mal peignés, le sourcil qui s'avale[4],
Le maintien renfrogné, le visage tout pâle,
205 Se montrer rarement, composer maint écrit,
Parler de l'Éternel, du Seigneur et de Christ[5],
Avoir d'un reître long les épaules couvertes[6],
Bref, être bon brigand et ne jurer que : Certes[7].
Il faut, pour rendre aussi les peuples étonnés,
210 Discourir de Jacob et des prédestinés,
Avoir saint Paul en bouche et le prendre à la lettre,
Aux femmes, aux enfants l'Évangile permettre,
Les œuvres mépriser, et haut louer la foi[8].
Voilà tout le savoir de votre belle loi.
[. . . . .]

---

1. Soucieux; **2.** La papauté; **3.** *Etre la* barbe longue; **4.** Descend; **5.** Les protestants avaient pris l'habitude d'appeler Dieu *l'Éternel* à la manière biblique, et de dire *Christ* sans article; **6.** Les protestants portaient volontiers *le manteau à la reître ;* **7.** *Il est ainsi,* en hébreu : seul juron que se permissent les « ministres prédicants », avec « en vérité ». Il y a peut-être une ironie dans l'emploi de *certes* par Ronsard plus haut, au v. 57; **8.** Opposition des *œuvres* et de la *foi.*

46. — RÉPONSE AUX INJURES
ET CALOMNIES[1]

de je ne sais quels prédicants et ministres de Genève[2].

[L'affaire du bouc de Jodelle.]

Tu dis[3] en vomissant dessus moi ta malice[4],
Que j'ai fait d'un grand bouc à Bacchus sacrifice.
445 Tu mens impudemment : cinquante gens de bien
Qui étaient au banquet diront qu'il n'en est rien.

Muses qui habitez de Parnasse la croupe,
Filles de Jupiter qui allez neuf en troupe,
Venez et repoussez par vos belles chansons
450 L'injure faite à vous et à vos nourrissons.

Jodelle ayant gagné par une voix hardie
L'honneur que l'homme grec donne à la Tragédie,
Pour avoir, en haussant le bas style françois,
Contenté doctement les oreilles des rois[5],
455 La Brigade, qui lors au ciel levait la tête
(Quand le temps[6] permettait une licence honnête),
Honorant son esprit gaillard et bien appris,
Lui fit présent d'un bouc, des Tragiques le prix[7].

Jà la nappe était mise, et la table garnie
460 Se bordait d'une sainte et docte compagnie,
Quand deux ou trois ensemble en riant ont poussé
Le père du troupeau à long poil hérissé :
Il venait à grands pas, ayant la barbe peinte ;
D'un chapelet[8] de fleurs la tête il avait ceinte,
465 Le bouquet sur l'oreille, et bien fier se sentait

---

1. Avril 1563, publiée à part (environ 1 200 vers) [texte de 1584] ; **2.** Trois pamphlets contre Ronsard « Réponse aux calomnies contenues au discours et suite du discours des misères de ce temps », signés de A. Zamariel et de B. de Mont-Dieu, pseudonymes de pasteurs genevois (Orléans, février 1563) ;
3.　　　　Celui connaît Ronsard, ta profane *malice*
　　　　　　Qui sait comme tu fis d'un bouc le sacrifice
　　　　　　Lès (près de) Paris, dans Arcueil, accompagné de ceux
　　　　　　Qui, païens comme toi, lui offrirent des vœux.
(B. de Mont-Dieu, deuxième pamphlet) ; **4.** Méchanceté ; **5.** Le roi et la cour avaient assisté à la représentation de *Cléopâtre* ; **6.** Le carnaval de 1553 ; **7.** Il n'est pas exact que le bouc fût la récompense des concours tragiques, mais dans les fêtes dionysiaques, les choreutes étaient travestis en boucs pour s'identifier avec les compagnons de Bacchus, d'où la *tragédie* (chant des boucs) ; **8.** Diminutif de *chapeau*.

De quoi telle jeunesse ainsi le présentait[1] :
Puis il fut rejeté pour chose méprisée
Après qu'il eut servi d'une longue risée,
Et non sacrifié, comme tu dis, menteur,
470 De telle fausse bourde impudent inventeur[2].

[. . . . .]

[*La conception de la poésie.*]

645   Tu te moques, cafard, de quoi[3] ma poésie
Ne suit l'art misérable, ains[4] va par fantaisie,
Et de quoi ma fureur[5] sans ordre se suivant
Éparpille ses vers comme feuilles au vent :
Voilà comme tu dis que ma Muse sans bride
650 S'égare répandue où la fureur[5] la guide.

1. Cf. les *Dithyrambes (a)* à la pompe du Bouc de Jodelle (1553) [Ronsard en a été le principal auteur], publiés dans les *Folasteries* (1553), retranchés de son œuvre, dès 1554. (Cf. 20) :

[. . . . .]
Evan (*b*) Père, ou je me trompe
Ou je voi la pompe
D'un bouc aux cornes dorées,
De lierre décorées
Et qui vraiment a le teint
Teint
De la couleur d'un Silène (*c*),
Quand tout rouge il perd l'haleine
D'avoir d'un coup vidé son flacon
Plein d'un vin Tholosan (*d*) ou bien
          [d'un vin gascon.
Iach, iach (*e*) Evoé (*f*),
Evoé, iach, iach!...
J'entrevoi Baïf et Remi (*g*)...,
Paschal (*h*) et Muret (*i*), et Ronsard qui
          [monte
Dessus le Bouc, qui de son gré (*j*)

Marche, afin d'être sacré (*k*)
Aux pieds immortels de Jodelle,
Bouc, le seul prix de sa gloire éternelle,
Pour avoir, d'une voix hardie,
Renouvelé la Tragédie
Et déterré son honneur le plus beau
Qui vermoulu gisait sous le tombeau.
Iach, iach, Evoé,
Evoé, iach, iach!...
[...] Jodelle de sa main
Du bouc tenant la moustache
Que poil à poil il arrache,
Et, de l'autre non paresseuse,
Haut élevant une coupe vineuse
Te chante, ô Dieu bacchique
Cette hymne dithyrambique :
Iach, iach, Evoé,
Evoé, iach, iach!...

a) Vers de rythme libre et d'allure frénétique ;
b) Surnom de Bacchus (cf. Evoé) ;
c) Père nourricier de Bacchus ;
d) De Toulouse ;
e) Nom mystique de Bacchus ;
f) Cri de joie en l'honneur de Bacchus ;
g) Il s'agit de Remi Belleau, qui avait tenu un rôle dans la pièce ;

h) Ami de Ronsard et historiographe du roi ;
i) Humaniste, ami des poètes de la Pléiade ;
j) Chez les Anciens, c'était un mauvais présage quand la victime résistait ;
k) Sacrifié. La suite montre qu'il n'y eut qu'un simulacre de sacrifice.

2. Ces deux vers remplacent, en 1584, tout un développement dont voici le début :

          De Bèze qui Prophète en apparence luit
          Entre vous tout ainsi qu'un Orion de nuit,
          Que Dieu (ce dites vous) en tous lieux accompagne
          A bien fait sacrifice aux Muses d'une teigne.

(Plaisanterie assez lourde, allusion à une des poésies latines que Bèze avait brûlées) ; 3. De ce que ; 4. Mais ; 5. Enthousiasme, délire de l'inspiration poétique.

Si tu avais les yeux aussi prompts et ouverts
A dérober mon art qu'à dérober mes vers[1],
Tu dirais que ma Muse est pleine d'artifice[2],
Et ma brusque vertu[3] ne te serait un vice.

655   En l'art de poésie, un art il ne faut pas
Tel qu'ont les prédicants, qui suivent pas à pas
Leur sermon su par cœur, ou tel qu'il faut en prose,
Où toujours l'orateur suit le fil d'une chose.

   Les poètes gaillards ont artifice[2] à part;
660 Ils ont un art caché, qui ne semble pas art
Aux versificateurs[4], d'autant qu'il se promène
D'une libre contrainte où la Muse le mène.

   As-tu point vu voler en la prime saison
L'avette qui de fleurs enrichit sa maison?
665 Tantôt le beau narcisse et tantôt elle embrasse
Le vermeil hyacinthe, et sans suivre une trace[5]
Erre de pré en pré, de jardin en jardin,
Portant un doux fardeau de mélisse et de thym :
Ainsi le bon esprit que la Muse époinçonne,
670 Porté de la fureur[6], sur Parnasse moissonne
Les fleurs de toutes parts, errant de tous côtés[7].

[. . . . .]

[*Le prestige de Ronsard.*]

Tu dis qu'auparavant j'étais fort renommé,
Et qu'ores[8] je ne suis de personne estimé...
Tu te trompes beaucoup...............................
Car, pour[9] ton aboyer, je ne perds la couronne
790 De laurier[10], dont Phébus tout le chef m'environne;
Elle ombrage mon front, signal victorieux
Qu'Apollon a dompté par moi ses envieux.

   Aussitôt que la Muse eut enflé mon courage[11],
M'agitant brusquement d'une gentille[12] rage,

---

1. Le pamphlétaire avait sans façon « emprunté » des vers à son adversaire dans une intention de dénigrement parodique; **2.** N'est pas péjoratif; **3.** Le mérite qui vient de la spontanéité (brusque); **4.** Péjoratif; **5.** Chemin tout tracé; **6.** Voir note du v. 647; **7.** Cf. Platon *(Ion)* : « Les poètes nous disent que les vers qu'ils nous apportent, ils les ont ravis à des fontaines de miel, dans les vergers et les jardins des Muses, où, semblables aux abeilles, ils voltigent çà et là; et ils disent vrai, le poète est un être léger, ailé et sacré »; **8.** Maintenant les adversaires présentaient Ronsard comme désormais déchu de tout prestige et influence; **9.** A cause de; **10.** Ronsard est représenté en tête de ses œuvres couronné du laurier de Delphes consacré à Phébus-Apollon; **11.** Cœur; **12.** Noble.

795 Je sentis dans mon cœur un sang plus généreux,
Plus chaud et plus gaillard, qui me fit amoureux.
A vingt ans je fus pris d'une belle maîtresse,
Et voulant par écrit témoigner ma détresse,
Je vis que des Français le langage trop bas,
800 A terre se traînait sans ordre ni compas[1] :
Adoncques pour hausser ma langue maternelle,
Indompté du labeur, je travaillai pour elle,
Je fis des mots nouveaux, je rappelai les vieux,
Si bien que son renom je poussai jusqu'aux cieux.
805 Je fis d'autre façon que n'avaient[2] les antiques[3],
Vocables composés et phrases poétiques,
Et mis la poésie en tel ordre qu'après
Le Français fut égal aux Romains et aux Grecs[4].
    Ha! que je me repens de l'avoir apportée
810 Des rives d'Ausonie[5] et du rivage Actée[7]!
Filles de Jupiter[7], je vous requiers pardon!
Hélas! je ne pensais que votre gentil don
Se dût faire l'appât de la bouche hérétique,
Pour servir de chansons aux valets de boutique.
815 Apporté seulement en France je l'avois
Pour donner passe-temps aux Princes et aux Rois.
    Tu ne le peux nier; car de ma plénitude
Vous êtes tous remplis, je suis seul votre étude;
Vous êtes tous issus de la grandeur de moi;
820 Vous êtes mes sujets, je suis seul votre loi.
    Vous êtes mes ruisseaux, je suis votre fontaine,
Et plus vous m'épuisez, plus ma fertile veine,
Repoussant le sablon, jette une source d'eaux,
D'un surgeon éternel, pour vous autres ruisseaux.
[. . . . .]

---

1. Cadence; **2.** Que n'avaient *fait ;* **3.** Les poètes du Moyen Age; **4.** Prononcez : *Grès ;* **5.** Italie; **6.** Attique; **7.** Les Muses.

47. — HYMNE DE L'AUTOMNE[1]

à Claude de l'Aubespine[2].

[PROLOGUE]

[. . . . .]
Je n'avais pas quinze ans que les monts et les bois
Et les eaux me plaisaient plus que la Cour des Rois,
Et les noires forêts en feuillage voûtées,
Et du bec des oiseaux les roches picotées :
35 Une vallée, un antre en horreur obscurci,
Un désert effroyable était tout mon souci :
Afin de voir au soir les Nymphes et les Fées
Danser dessous la Lune en cotte par les prées,
Fantastique[3] d'esprit : et de voir les Sylvains
40 Être boucs par les pieds, et hommes par les mains,
Et porter sur le front des cornes en la sorte
Qu'un petit agnelet de quatre mois les porte.

J'allais après la danse, et craintif je pressais
Mes pas dedans le trac[4] des Nymphes, et pensais
45 Que pour mettre mon pied en leur trace poudreuse
J'aurais incontinent l'âme plus généreuse :
Ainsi que l'Ascréan[5] qui gravement sonna
Quand l'une des neuf Sœurs du Laurier lui donna.

Or je ne fus trompé de ma sainte entreprise :
50 Car la gentille Euterpe[6] ayant ma dextre prise,

---

1. Fait partie de quatre hymnes : *les Quatre saisons de l'An*, qui sont dédiés aux quatre secrétaires d'État. Parus dans le deuxième livre du *Recueil des nouvelles poésies* (1563); **2.** Secrétaire d'État, mort en 1567; **3.** Porté à la rêverie; **4.** La trace; **5.** Hésiode (VIIIe siècle avant J.-C.), d'Ascra, village de Béotie. Cf. *Théogonie* (v. 22) : « Les Muses un jour apprirent à Hésiode un beau chant, alors qu'il paissait ses agneaux au pied de l'Hélicon divin. Voici les premiers mots que m'adressèrent ces déesses : « Pâtres gîtés aux champs, honte de la « terre, qui n'êtes rien que ventres! nous savons conter des mensonges tout « pareils à la réalité; mais nous savons aussi, quand nous voulons, proclamer « des vérités. » Ainsi parlèrent les filles véridiques du grand Zeus, et, pour bâton, m'offrirent un splendide rameau par elles détaché d'un *olivier* florissant; puis elles m'inspirèrent des accents divins... »; **6.** Muse de la poésie lyrique.

Pour m'ôter le mortel[1], par neuf fois me lava
De l'eau d'une fontaine où peu de monde va,
Me charma[2] par neuf fois, puis d'une bouche enflée
(Ayant dessus mon chef son haleine soufflée)
55 Me hérissa le poil de crainte et de fureur,
Et me remplit le cœur d'ingénieuse erreur[3],
En me disant ainsi : « Puis que tu veux nous suivre,
Heureux après la mort nous te ferons revivre
Par longue renommée, et ton los en-nobli
60 Accablé du tombeau n'ira point en oubli.
Tu seras du vulgaire appelé frénétique[4],
Insensé, furieux, farouche, fantastique,
Maussade, mal-plaisant : car le peuple médit
De celui qui de mœurs aux siennes contredit.
65 Mais courage, Ronsard, les plus doctes Poëtes,
Les Sibylles, Devins, Augures et Prophètes,
Hués, sifflés, moqués des peuples ont été :
Et toutefois, Ronsard, ils disaient vérité.
N'espère d'amasser de grands biens en ce monde :
70 Une forêt, un pré, une montagne, une onde
Sera ton héritage, et seras plus heureux
Que ceux qui vont cachant tant de trésors chez eux :
Tu n'auras point de peur qu'un Roi de sa tempête
Te vienne en moins d'un jour escarbouiller la tête ;
75 Ou confisquer tes biens : mais tout paisible et coi[5]
Tu vivras dans les bois pour la Muse et pour toi. »
   Ainsi disait la Nymphe, et de là je vins être
Disciple de Dorat, qui long-temps fut mon maître,
M'apprit la Poësie, et me montra comment
80 On doit feindre et cacher les fables proprement[6],
Et à bien déguiser la vérité des choses
D'un fabuleux manteau dont elles sont encloses :
J'appris en sa maison à immortaliser
Les hommes que je veux célébrer et priser,
85 Leur donnant de mes biens, ainsi que je te donne
Pour présent immortel l'Hymne de cet Automne.
[. . . .]

---

1. La qualité de *mortel* ; 2. Ensorcela par une incantation magique ;
3. Génial délire ; 4. Sujet à des accès de folie ; 5. Tranquille *(quietus)* ;
6. D'une manière élégante.

---

48. — SONNET SUR LE CŒUR DU FEU ROI TRÈS CHRÉTIEN HENRI II[1]

Par une Reine où sont toutes les grâces
Trois Grâces sont mises dessus[2] ce cœur,
Cœur d'un grand Prince, invincible vainqueur[3]
Qui fut l'honneur des Vertus et des Grâces[4].

5 Toi qui les faits de ce Henri embrasses,
Ne t'ébahis, admirant sa grandeur,
Qu'un peu d'espace en si peu de rondeur
Enserre un cœur qui conquit tant de places[3].

Pour un grand cœur fallait grand[5] place aussi ;
10 Mais l'ombre en est tant[6] seulement ici :
Car de ce roi l'épouse Catherine

En lieu de marbre attique ou parien[7]
Prenant ce cœur le mit en sa poitrine,
Et pour tombeau le garde auprès du sien.

1. 1563. L'usage était de conserver le cœur des hommes illustres, prélevé lors de l'embaumement. Henri II avait été tué accidentellement dans un tournoi, le 10 juillet 1559. « Le jeudi, treizième jour de juillet, le cœur dudit seigneur roi, honorablement embasmé, fut posé dans un cercueil de plomb d'un pied en carré. [...] Puis fut porté processionnellement ce même jour aux Célestins, où il fut mis en la présence des grands seigneurs en un caveau, sur une colonne, devant le grand autel dudit couvent des Célestins. » (Gilles Corrozet, *les Antiquités de Paris*.) La reine fit construire ensuite un petit monument pour le cœur, dans la même église (aujourd'hui au Louvre) : dessin du Primatice, inspiré d'une cassolette dessinée par Raphaël pour François Ier ; sculptures en *marbre* blanc de Germain Pilon. Une *urne* (en cuivre doré ; fondue à la Révolution ; restauration en bois), est soutenue par les trois Grâces, qui peuvent être aussi bien les trois *Vertus* théologales (cf. v. 4). Le monument fut achevé en 1563. Des inscriptions latines gravées sur le piédestal expriment la douleur de la reine qui porta le deuil toute sa vie, et sa volonté que son propre cœur soit, à sa mort, réuni à celui du roi :

HIC COR DEPOSVIT REGIS CATHARINA MARITI   Ici Catherine a déposé le cœur du
ID CVPIENS PROPRIO CONDERE SINV   roi son époux alors qu'elle dési-
                                                rait le placer en sa propre poi-
                                                trine (cf. v. 11 à 14) ;

2. L'urne de cuivre doré qui surmontait les trois Grâces était purement figurative ; elle fut faite par « Dominique Florentin, imager » sur le modèle du « vase de cire dedans lequel a été mis le cœur d'icelui défunt », enfermé à la base du monument ; **3.** Allusion aux campagnes victorieuses d'Henri II ; **4.** Différent de *grâces*, v. 1. La même confusion volontaire des Vertus chrétiennes et des Grâces païennes, dans l'esprit de la Renaissance, se trouve dans les vers latins élégiaques qui sont gravés dans l'église des Célestins : ce monument « contient *à sa base* le cœur d'un roi ;... il figure les trois *Grâces* : la Foi, l'Espérance, la Charité... » ; **5.** Féminin ; **6.** Renforce *seulement* comme en latin *tantum* dans l'expression *tantum modo* ; **7.** En Grèce, les marbres les plus estimés étaient celui du mont Pentélique (Attique) et celui de l'île de Paros.

49. — ÉLÉGIE
à Marie Stuart, reine d'Écosse[1].

Bien que le trait de votre belle face
Peint en mon cœur par le temps ne s'efface
Et que toujours je le porte imprimé
Comme un tableau vivement animé,
5   J'ai toutefois, pour la chose plus[2] rare
Dont mon étude[3] et mes livres je pare,
Votre semblant[4] qui fait honneur au lieu,
Comme un portrait au temple de son Dieu.

Vous n'êtes vive en drap d'or habillée,
10   Ni les joyaux de l'Inde dépouillée,
Riches d'émail et d'ouvrages, ne font
Luire un beau jour autour de votre front;
Et votre main, des plus belles la belle,
N'a rien sinon la blancheur naturelle,
15   Et vos longs doigts, cinq rameaux inégaux,
Ne sont pompeux de bagues ni d'anneaux,
Et la beauté de votre gorge vive
N'a pour carcan[5] que sa blancheur naïve[6].
Un crêpe long, subtil et délié,
20   Pli contre pli retors et replié,
Habit de deuil[7] vous sert de couverture
Depuis le chef jusques à la ceinture,
Qui s'enfle ainsi qu'un voile, quand le vent
Souffle la barque et la cingle en avant.

25   De tel habit vous étiez accoutrée[8]
Partant, hélas! de la belle contrée[9]
Dont aviez eu le sceptre dans la main,
Lorsque pensive, et baignant votre sein
Du beau cristal de vos larmes roulées,
30   Triste marchiez par les longues allées

---

1. Fille du roi d'Écosse Jacques V, née en 1542, reine de France en 1559 pendant le court règne de François II son mari; elle retourna en Écosse en 1561, et y épousa, en 1565, son cousin Darnley. Composé sans doute avant 1565; **2.** La plus rare; **3.** Cabinet de travail. Cf. *étude* d'avocat; **4.** Portrait; **5.** Collier; **6.** Naturelle; **7.** Comme dans le portrait au crayon attribué à François Clouet et conservé au Cabinet des estampes, Marie Stuart portait, dans le portrait possédé par Ronsard, les blancs atours qui étaient le deuil des reines de France; **8.** Vêtue, sans aucun sens péjoratif; **9.** La France.

MARIE STUART
« dans son deuil blanc » (1560).

Portrait attribué à François Clouet.

Du grand jardin de ce royal château
Qui prend son nom de la beauté d'une eau[1].

Tous les chemins blanchissaient sous vos toiles[2]
Ainsi qu'on voit blanchir les rondes voiles
35 Et se courber bouffantes sur la mer,
Quand les forçats ont cessé de ramer;
Et la galère au gré du vent poussée
Flot dessus flot s'en va toute élancée
Sillonnant l'eau, et faisant d'un grand bruit
40 Pirouetter la vague qui la suit.

Lors les rochers, bien qu'ils n'eussent point d'âme,
Voyant marcher une si belle dame,
Et les déserts, les sablons et l'étang
Où vit maint cygne habillé tout de blanc,
45 Et des hauts pins la cime de vert peinte[3],
Vous contemplaient comme une chose sainte,
Et pensaient voir (pour ne voir rien de tel)
Une Déesse en habit d'un mortel
Se promener, quand l'aube retournée[4]
50 Par les jardins poussait la matinée,
Et vers le soir, quand déjà le soleil
A chef baissé s'en allait au sommeil.
[. . . . .]

1. Fontainebleau *(Fontaine-belle-eau)* ; 2. Voir v. 19 à 22 et la note du
v. 21; 3. Colorée; 4. Latinisme.

50. — BERGERIE[1]
dédiée à la reine d'Écosse[2].

[Après un prologue et un chœur de bergères et de nymphes,
« les quatre bergers et la bergère se présentent ensemble, sortant
d'un antre à part ».]

ORLÉANTIN commence :

86 Puisque le lieu, le temps, la saison et l'envie,
    Qui s'échauffent d'amour, à chanter nous convie,
    Chantons donques, bergers, et en mille façons
    A ces vertes forêts apprenons nos chansons.
90 Ici de cent couleurs s'émaille la prairie,
    Ici la tendre vigne aux ormeaux se marie,
    Ici l'ombrage frais va les feuilles mouvant
    Errantes çà et là sous l'haleine du vent :
    Ici de pré en pré les soigneuses avettes[3]
95 Vont baisant et suçant les odeurs des fleurettes :
    Ici le gazouillis enroué des ruisseaux
    S'accorde doucement aux plaintes des oiseaux :
    Ici entre les pins les Zéphires s'entendent.
    Nos flûtes cependant trop paresseuses pendent
100 A nos cols endormis, et semble que ce temps
    Soit à nous un hiver, aux autres un printemps.
       Sus donques ; en cet antre ou dessous cet ombrage,
    Disons une chanson : quant à ma part je gage,
    Pour le prix de celui qui chantera le mieux,
105 Un cerf[4] apprivoisé qui me suit en tous lieux.

1. Composée au printemps de 1564 ; le lieu de cette pastorale est Fontaine-bleau ; les acteurs : *Orléantin* : le duc d'Orléans (?) ; *Angelot* : Henri, duc d'Anjou (futur Henri III, treize ans) ; *Navarrin* : Henri de Navarre (le futur Henri IV, onze ans) ; *Guisin* : Henri, duc de Guise (quatorze ans) ; *Margot* : Marguerite de Valois (onze ans). Il n'est pas sûr que cette bergerie ait été réellement représentée. Publiée en 1565 dans le recueil des *Élégies, Mascarades et Bergerie ;* **2.** Marie Stuart ; **3.** Abeilles ; **4.** Imité de l'*Arcadie* de Sannazar, poète italien : « Quant est de mon cerf domestique [...] depuis le jour que je l'ôtai à sa mère qui encore l'allaitait, je l'ai toujours réservé pour ma Tyrrhena, et pour l'amour d'elle curieusement nourri en continuelles délices, le peignant souventes fois sur les bords des claires fontaines, et attachant à

Je le dérobai jeune au fond d'une vallée
A sa mère au dos peint[1] d'une peau martelée[2],
Et le nourris si bien que, souvent le grattant,
Le chatouillant, touchant, le peignant et flattant,
110 Tantôt auprès d'une eau, tantôt sur la verdure,
En douce[3] je tournai[4] sa sauvage nature.
Je l'ai toujours gardé pour ma belle Thoinon,
Laquelle en ma faveur l'appelle de mon nom :
Tantôt elle le baise, et de fleurs odoreuses
115 Environne son front et ses cornes rameuses,
Et tantôt son beau col elle vient enfermer
D'un carcan[5] enrichi de coquilles de mer,
D'où pend la croche dent d'un sanglier, qui ressemble
En rondeur le Croissant qui se rejoint ensemble.
120 Il va seul et pensif où son pied le conduit :
Maintenant des forêts les ombrages il suit,
Ou[6] se mire dans l'eau d'une source moussue,
Ou s'endort sous le creux d'une roche bossue.
Puis il retourne au soir, et gaillard prend du pain
125 Tantôt dessus la table et tantôt en ma main,
Saute à l'entour de moi, et de sa corne essaye
De cosser[7] brusquement mon mâtin qui l'abaye[8],
Fait bruire son clairon, puis il va se coucher
Au giron de Thoinon qui l'estime si cher.

ses cornes force beaux bouquets de roses et de fleurs. Qui plus est, je l'ai si bien mignoté qu'il s'est accoutumé à manger à notre table. Et quand il est peu à son aise, il s'en va tout le reste du jour errant par les forêts, puis revient à la maison quand bon lui semble, mais c'est quelquefois bien tard : et me trouvant à la porte, où je l'attends de grande affection, il ne se peut soûler de me faire mille caresses, ains sautele entour moi, et fait infinis autres ébattements. Mais la chose qui me plaît de lui sur toutes, c'est qu'il connaît et aime sa maîtresse, car il endure patiemment qu'elle lui mette le *chevêtre* (cf. v. 130) au col et l'applanie à son plaisir. Davantage, de sa franche volonté lui tend le col pour être attelé sous le joug, et parfois présente son dos afin qu'elle lui mette le bât, puis monte dessus à son aise. Lors il la porte par les champs, sans lui faire peur ni mal. Or ce collier de coquilles marines où pend celle dent de sanglier qui a forme de croissant, que tu lui vois battre sur la poitrine, sa dite maîtresse lui attacha, et fait porter pour l'amour de moi : parquoi je ne mettrai pas ce gage. Mais je t'en fournirai d'un que tu jugeras non seulement suffisant, ains plus recevable que le tien. Ce sera un grand bouc de poil bigarré, barbu à merveilles, armé de quatre cornes, et coutumier de vaincre les autres à heurter, voire qui par faute de pasteur conduirait bien aux champs un troupeau quelque grand qu'il fût. » (Traduction de Jean Martin, p. 23, 1544.) Ronsard a fait l'éloge de Jean Martin et de sa traduction dans une de ses odes pindariques (1550, livre II, ode XIII).

1. Coloré ; 2. Comme marquetée au marteau ; 3. En douce nature ; 4. Transformai ; 5. Collier ; 6. *Maintenant ... ou :* tantôt ... tantôt ; 7. Heurter de la corne ; 8. Aboyer est souvent transitif : « Je ne tue pas un chien qui m'aboie » (Diderot).

130 Il souffre que sa main le chevêtre[1] lui mette,
Fait à[2] houppes de soie et à mainte sonnette :
Dessus son dos privé[3] met le bât embourré
De fougère et de mousse, et d'un cœur assuré,
Sans crainte de tomber, le tient par une corne

135 D'une main, et de l'autre en cent façons elle orne
Sa croupe de bouquets et de petits rameaux ;
Puis le conduit au soir à la fraîcheur des eaux,
Et de sa blanche main seule lui donne à boire.
Or quiconques aura l'honneur de la victoire

140 Sera maître du cerf, bienheureux et content
De donner à s'amie un présent qui vaut tant.

ANGELOT

Je gage mon grand bouc, qui par mont et par plaine
Conduit seul un troupeau comme un grand capitaine ;
Il est fort et hardi, corpulent et puissant,

145 Brusque, prompt, éveillé, sautant et bondissant,
Qui gratte, en se jouant, de l'ergot de derrière
(Regardant les passants) sa barbe mentonnière.
Il a le front sévère et le pas mesuré,
La contenance fière et l'œil bien assuré :

150 Il ne doute[4] les loups, tant soient-ils redoutables,
Ni les mâtins armés de colliers effroyables,
Mais planté sur le haut d'un rocher épineux
Les regarde passer et si[5] se moque d'eux ;
Son front est remparé[6] de quatre grandes cornes ;

155 Les deux proches des yeux sont droites comme bornes
Qu'un père de famille élève sur le bord
De son champ qui était naguères en discord ;
Les deux autres, qui sont prochaines[7] des oreilles,
En douze ou quinze plis se courbent à merveilles

160 D'une entorse ridée, et en tournant s'en vont
Cacher dessous le poil qui lui pend sur le front.
Dès la pointe du jour ce grand bouc qui sommeille
N'attend que le pasteur son troupelet réveille,
Mais il fait un grand bruit dedans l'étable, et puis

165 En poussant le crouillet[8] de sa corne ouvre l'huis,
Et guide les chevreaux qu'à grands pas il devance

---

1. Licou. Cf. *enchevêtrer ;* **2.** De; **3.** Se dit d'un animal *apprivoisé ;*
4. Redoute; **5.** Ainsi; **6.** Défendu comme par un rempart; **7.** Proches;
8. Loquet.

Comme de la longueur d'une moyenne lance,
Puis les ramène au soir à pas comptés et longs,
Faisant sous ses ergots poudroyer les sablons.
170 Jamais en nul combat n'a perdu la bataille,
Rusé dès sa jeunesse, en quelque part qu'il aille,
D'emporter la victoire[1] : aussi les autres boucs
Ont crainte de sa corne, et le révèrent tous.
Je le gage pourtant : vois comme il se regarde!
175 Il vaut mieux que le cerf que ta Thoinon te garde.

NAVARRIN

J'ai dans ma gibecière un vaisseau[2] fait au tour,
De racine de buis, dont les anses d'autour
D'artifice excellent de même bois sont faites,
Où maintes choses sont diversement portraites[3].
[. . . . .]
217 Un houbelon[4] rampant à bras longs et retors
De ce creux gobelet passemente[5] les bords
Et court en se pliant à l'entour de l'ouvrage :
220 Tel qu'il est toutefois je le mets pour mon gage.

GUISIN

Je mets une houlette[6] en lieu de ton vaisseau.
L'autre jour que j'étais assis près d'un ruisseau,
Radoubant[7] ma musette[8] avecque mon alêne,
Je vis dessus le bord le[9] tige d'un beau frêne
225 Droit, sans nœuds et sans plis : lors me levant soudain
J'empoignai d'allégresse un goy[10] dedans la main,
Puis coupant par le pied le bois armé d'écorce,
Je le fis chanceler et trébucher à force

---

1. Capable par sa ruse... *de* : très ancienne tournure. Cf. : « Et *de* ce faire sont tous *rusés* et appris les maires » (XIVe siècle, *Champarts de Bauce*); 2. Vase; 3. Figurées; 4. Houblon; 5. Se dit d'un ornement précieux étendu sur un habit ou un meuble; 6. Imité de l'*Arcadie* de Sannazar : « Afin que tu n'estimes perdre ta peine, j'ai une houlette de myrte rocailleux, les extrémités de laquelle sont toutes garnies de plomb poli; même au bout d'en haut est entaillée de la main de Carithée, bouvier naguère venu de la fertile Espagne, une tête de bélier avec ses cornes retournées, par si grand artifice que Toribio, l'un des plus riches pasteurs de ce pays, m'en voulut une fois donner un puissant mâtin hardi et bon étrangleur de loups : toutefois pour requêtes ni pour offres qu'il m'ait su faire, il ne le put onques obtenir de moi. Et si tu veux chanter, je t'en ferai un présent tout à cette heure. » (Traduction de Jean Martin, p. 4); 7. Terme de marine; 8. Sorte de cornemuse; 9. En dépit de l'étymologie (lat. *tibia*), et malgré l'usage des époques antérieures, certains écrivains, tels que Ronsard, Rabelais, Montaigne, firent parfois *tige* du genre masculin; 10. Grande serpe de bûcheron, terme technique.

Dessus le pré voisin étendu de son long :
230 En quatre gros quartiers j'en fis scier le tronc,
Au soleil je séchai sa verdeur consumée,
Puis j'endurcis le bois pendu à la fumée.
A la fin le baillant à Jean, ce bon ouvrier[1]
M'en fit une houlette, et si[2] n'y a[3] chevrier
235 Ni berger en ce bois qui ne donnât pour elle
La valeur d'un taureau, tant elle semble belle :
Elle a par artifice un million de nouds[4],
Pour mieux tenir la main, tous marquetés de clous ;
Et afin que son pied ne se gâte à la terre,
240 Un cercle fait d'airain de tous côtés le serre :
Une pointe de fer le bout du pied soutient,
Rempart de la houlette, où[5] le pasteur se tient[6]
Dessus la jambe gauche, et du haut il appuie
Sa main, quand d'entonner sa lourette[7] il s'ennuie :
245 L'anse est faite de cuivre, et le haut de fer blanc
Un peu long et courbé, où pourraient[8] bien de rang[9]
Deux mottes pour jeter au troupeau qui s'égare,
Tant le fer est creusé d'un artifice rare.
Une nymphe y est peinte, ouvrage non pareil,
250 Essuyant ses cheveux aux rayons du soleil
Qui deçà, qui delà dessus le col lui pendent,
Et dessus la houlette à petits flots descendent.
Elle fait d'une main semblant de ramasser
Ceux du côté senestre et de les retrousser
255 En frisons sur l'oreille, et de l'autre elle allonge
Ceux du dextre côté mignotés d'une éponge[10]
Et tirés fil à fil, faisant entre ses doigts
Sortir en pressurant l'écume sur le bois.
Aux pieds de cette nymphe est un garçon[11] qui semble
260 Cueillir des brins de jonc, et les lier ensemble

---

1. Dissyllabique comme chevrier, au vers suivant; 2. Ainsi; 3. Il n'y a;
4. Nœuds. Cf. *nouer* ; 5. Sur lequel; 6. S'appuie; 7. Petite loure, musette;
8. Pourraient tenir. Vaugelas (XVIIe siècle) citera l'exemple : cette table *peut*
huit personnes, comme exemple de *style bas* ; 9. L'une près de l'autre;
10. Qu'elle a frottés doucement avec une éponge; 11. Imité de Théocrite,
Idylles, I (description d'un vase offert par un berger) : « ... Une vigne est richement chargée de grappes brunissantes, que garde un petit garçon assis sur un
mur de pierres sèches; autour de lui, deux renards; l'un se promène dans les
rangées de ceps et pille la raisin mûr; l'autre met en œuvre toute espèce de
ruses pour atteindre la besace de l'enfant et se promet bien de ne pas la
laisser avant d'avoir mis son déjeuner à sac; lui, cependant, avec des tiges
d'asphodèle qu'il attache à du jonc, tresse un beau filet à sauterelles; et il se
soucie bien moins de la besace et des ceps qu'il ne prend de plaisir à son
travail. » (Traduction Ph.-E. Legrand, 1925.)

De long et de travers, courbé sur le genou :
Il les presse du pouce et les serre d'un noud[1]
Puis il fait entre deux des espaces[2] égales,
Façonnant une cage à mettre des cigales.
265 Loin derrière son dos est gisante à l'écart
Sa panetière enflée, en laquelle un renard
Met le nez finement et d'une ruse étrange
Trouve le déjeuner du garçon et le mange;
Dont l'enfant s'aperçoit sans être courroucé,
270 Tant il est ententif[3] à l'œuvre commencé.
Si[4] mettrai-je pourtant une telle houlette,
Que j'estime en valeur autant qu'une musette[5].
[. . . . .]

1. Nœud; 2. Féminin; 3. Attentif; 4. Renforce *pourtant* ; 5. Cornemuse.

POÈMES

51. — AU ROI CHARLES IX[1],
lui présentant[2] des pompons[3] de son jardin.

Bien que Bacchus soit le Prince des vins,
Et que Cérès à nos moissons commande,
L'un toutefois et l'autre ne demande
Qu'un peu d'épis et qu'un peu de raisins.

5 Neptune, Roi des orages marins,
Veut qu'un tableau[4] pour présent on lui rende,
Et Jupiter ne cherche pour offrande
Que l'humble cœur des dévots pèlerins.

Vous qui semblez de façons et de gestes
10 Aux immortels, imitant les Célestes,
Prenez ce fruit le moindre de tous fruits.

---

1. Novembre 1565, publiée en 1567. Lors du passage de Charles IX à Plessis-lez-Tours, Ronsard le reçut avec la famille royale, en son prieuré de Saint-Cosme-en-l'Isle. Quatre autres sonnets furent composés en cette occasion par Ronsard, un autre pour le roi, deux pour la reine mère, un pour Monsieur (Henri d'Anjou, futur Henri III). Au roi, le poète rappelait que le grand Hercule avait daigné loger dans la maison d'un pasteur. Il saluait dans la reine celle qui avait anéanti, croyait-il, la discorde. A Monsieur, Ronsard disait, évoquant son modeste prieuré et célébrant la précoce maturité du prince :

Prince bien né, la seconde espérance
De notre siècle et des peuples contents,
Qui fleurissez avant votre printemps,
Donnant du fruit au sortir de l'enfance,

5 Vous n'êtes pas en ces palais de France
Chez les seigneurs richement habitants,
Qui de plaisants et divers passe-temps
Vous ont montré toute magnificence.

Voici le lieu des peuples séparé
10 Mal accoutré, mal bâti, mal paré :
Et toutefois les muses y demeurent,

Et Apollon de laurier revêtu,
Qui vont gardant que les princes ne meurent
Qui comme vous ont aimé la vertu.

2. En lui présentant ; **3.** Melons blancs (lat. *pepo*) ; **4.** Tableau votif avec inscription (épigramme) contenant le nom du dieu, du donateur et l'occasion de l'offrande (une heureuse traversée, par exemple). Cf. **62**, v. 11 et **67**, v. 50.

Le vous offrant, je ne crains que personne
Blâme mon don : car, Sire, je vous donne
Non pas beaucoup, mais tout ce que je puis.

---

52. — LA SALADE[1]
à Amadis Jamyn[2].

Lave ta main, qu'elle soit belle et nette;
Réveille-toi; apporte une serviette;
Une salade amasson[3], et faison[3]
Part à nos ans des fruits[4] de la saison.
5   D'un vague pied[5], d'une vue écartée,
De çà de là en cent lieux rejetée,
Sur une rive et dessus un fossé,
Dessus un champ en paresse laissé
Du[6] laboureur, qui[7] de lui-même apporte
10   Sans cultiver[8] herbes de toute sorte,
Je m'en irai solitaire à l'écart.
Tu t'en iras, Jamyn[2], d'une autre part
Chercher, soigneux, la boursette[9] touffue,

---

1. Sixième livre des *Poèmes* (1569). Texte de 1584. Composé probablement au prieuré de Croixval. Imité d'un poème de l'Italien Molza (1489-1544) : *Capitolo in lode dell' Insalata*, poème dans le genre humoristique de Berni (1498-1535), dit genre *bernesque*, qui consiste à traiter avec un enjouement que n'a point toujours le « burlesque effronté » condamné plus tard par Boileau, des sujets paradoxaux ou futiles, comme l'éloge de la soupe, des œufs durs, du fenouil, etc. Les poètes de la Pléiade ont tenté d'acclimater le genre en France : on a de J. Du Bellay un éloge de la *surdité* dans le style bernesque, et de Ronsard plusieurs poèmes comme le *Verre*, le *Houx*, la *Grenouille*, et cette *Salade*, dont la grâce et le naturel laissèrent, bien loin en arrière, la gaieté un peu convenue et académique des modèles italiens; 2. Secrétaire de Ronsard de 1562 environ à 1571, année où il fut nommé secrétaire et lecteur ordinaire de la Chambre du roi. On a de lui une traduction de l'*Iliade* et des *poésies*, entre autres un réquisitoire *Contre l'Honneur* en style bernesque, une *Ode pour un laurier planté par M. de Ronsard en un lieu nommé Croixval*. C'est Jamyn qui a aussi composé le sonnet-préface en tête du *VI*e et *VII*e livre des *Poèmes* (1569), et il témoigne du goût de Ronsard pour la vie rustique et de son dégoût pour la vie de cour vers 1569 : Fait nouveau ménager, mon Ronsard, ton plaisir — N'était que rebâtir et régler ton ménage — Planter, semer, enter, aimer le jardinage, — Et la vie rustique avant toutes choisir...; 3. Orthographe de l'auteur maintenue pour la rime; 4. Productions de la terre en général; 5. D'un pas vagabond; 6. Par le; 7. L'antécédent est *champ*; 8. Sans qu'on le cultive : tournure incorrecte aujourd'hui; 9. Ou *bourse-à-pasteur*, nom vulgaire de la capselle bourse de pasteur (*Capsella bursa pastoris*, Linné), appelée aussi *bourse de berger* et *tabouret*, à cause de la forme de sa fleur; c'est aussi la *doucette*, la *mâche* commune.

La pâquerette[1] à la feuille menue,
15 La pimprenelle[2] heureuse pour le sang,
Et pour la rate, et pour le mal de flanc :
Je cueillerai, compagne de la mousse,
La responsette[3] à la racine douce,
Et le bouton des nouveaux groseilliers
20 Qui le printemps annoncent les premiers.

Puis, en lisant l'ingénieux Ovide
En ces beaux vers où d'amour il est guide[4],
Reguagnerons le logis pas à pas.
Là, recoursant[5] jusqu'au coude nos bras,
25 Nous laverons nos herbes à main pleine
Au cours sacré de ma belle fontaine,
La blanchirons de sel en mainte part,
L'arroserons de vinaigre rosart[6],
L'engraisserons de l'huile de Provence :
30 L'huile qui vient aux oliviers de France[7]
Rompt l'estomac et ne vaut du tout rien.

Voilà, Jamyn, voilà mon souv'rain bien,
En attendant que de mes veines parte
Cette exécrable, horrible fièvre quarte[8]
35 Qui me consomme[9] et le corps et le cœur,
Et me fait vivre en extrême langueur.

1. Petite marguerite blanche qui fleurit vers Pâques; croît dans les prés et le long des chemins. On la mange encore en salade, quand elle est jeune, dans quelques pays; 2. « Fait partie de la fourniture des salades... Les friands mettent aussi de la *pimprenelle* dans leur vin » (Furetière, xviie siècle). Employée comme hémostatique et diurétique; 3. La *raiponce*, dont la racine à chair blanche et croquante est aussi bonne en salade que les feuilles; se récolte d'octobre à fin mars; on la cultive dans les jardins, mais elle vient d'elle-même « sans artifice, près des buis, buissons et autres arbustes sauvages » (Olivier de Serres, *Théâtre d'agriculture*, 1600); 4. Il s'agit de *l'Art d'aimer* ; 5. Retroussant : il « *recoursa* ses manches jusqu'ès coudes », Rabelais, *Tiers Livre* ; 6. De vinaigre *rosat* : vinaigre dans lequel on a fait macérer des roses rouges. Cette préparation, qui ne s'emploie qu'en pharmacie, servait autrefois à assaisonner la salade (cf. Boileau, *Satires*, III, v. 100, et Furetière, *Dictionnaire*); 7. Aux *noyers* : il s'agit de *l'huile de noix*. L'édition posthume de 1587, contient une correction qui supprime l'équivoque : « L'huile qui vient *en nos vergers de France...* ». *France* est pris en son sens primitif et restreint; 8. Fièvre intermittente qui revient tous les quatre jours. Ronsard s'en plaint souvent à cette période de sa vie. Amadis Jamyn écrit une *Ode à la santé pour M. de Ronsard malade de la fièvre quarte* :

Méchante fièvre, n'as-tu
Assez Ronsard abattu,
Père aux Français de la lyre?
Jà la lune quinze fois
A recommencé le mois
Depuis qu'il est en martyre...

9. Consume. La langue du xvie siècle confond constamment les deux verbes.

Tu me diras que la fièvre m'abuse,
Que je suis fol, ma salade, et ma Muse;
Tu diras vrai; je le veux être aussi :
40   Telle fureur[1] me guérit mon souci.

Tu me diras que la vie est meilleure
Des importuns, qui vivent à toute heure
Auprès des rois en crédit et bonheur,
Enorgueillis de pompes et d'honneur :
45   Je le sais bien; mais je ne le veux faire,
Car telle vie à la mienne est contraire[2].

Il faut mentir, flatter et courtiser,
Rire sans ris, sa face déguiser
Au front[3] d'autrui, et je ne le veux faire :
50   Car telle vie à la mienne est contraire.

Je suis, pour suivre à la trace la court[4],
Trop maladif, trop paresseux et sourd,
Et trop craintif; au reste je demande
Un doux repos et ne veux plus qu'on pende,
55   Comme un poignard, les soucis sur mon front.
En peu de temps les courtisans s'en vont
En chef grison, ou meurent sur un coffre.
Dieu pour salaire un tel présent leur offre
D'avoir gâté[5] leur gentil naturel
60   Pour amasser trop de bien temporel,
Bien incertain, qui tout soudain se passe
Sans parvenir à la troisième race[6].
Car la Fortune aux retours inconstants
Ne peut souffrir l'ambitieux longtemps,
65   Montrant par lui d'une chute soudaine
Que c'est du vent que la farce mondaine.
[. . . . .]
87   L'homme ignorant dont les jours sont si brefs[7]
Ne connaît pas que c'est un jeu d'échets[8]
Que notre courte et misérable vie,
90   Et qu'aussitôt que la mort l'a ravie,

---

1. Folie *(furor)* ; **2.** Cette préférence donnée à la vie rustique sur la vie de cour rappelle de très près l'ouvrage de l'Espagnol Antonio de Guevara : *le Mépris de la Court, avec la vie rustique*, dont une traduction parut en 1568. Elle répond à un sentiment très profond chez Ronsard. Cf. plus loin, sa lettre à Scévole de Sainte-Marthe : « Je hais la court plus que la mort » ; **3.** D'après le visage; **4.** Ancienne orthographe, qu'il faut maintenir ici pour la rime; **5.** Pour salaire d'avoir gâté; **6.** Génération; **7.** Prononcer : *bré*. Cependant, Palsgrave (xvie siècle), prétend que l'*f* se faisait entendre; **8.** Échecs. *Échets* est l'orthographe conforme à la prononciation correcte du mot.

Dedans le sac on met tout à fois
92   Rocs[1], Chevaliers, Pions, Reines et Rois.
[. . . . .].
      Ah! que me plaît ce vers virgilian,
100   Où le vieillard père Corycian[2]
Avec sa marre[3] en travaillant cultive
A tour de bras sa terre non oisive,
Et vers le soir sans acheter si cher
Vin en taverne ou chair chez le boucher,
105   Allant chargeant sa table de viandes[4]
Qui lui semblaient plus douces et friandes
Avec la faim que celle des Seigneurs
Pleines de pompe et de mets et d'honneurs
Qui dédaigneux de cent viandes changent
110   Sans aucun goût, car sans goût ils les mangent.
Lequel des deux était le plus heureux,
Ou ce grand Crasse[5] en écus plantureux
Qui pour n'avoir les honneurs de Pompée
Alla sentir la parthienne épée,
115   Ou ce vieillard qui son champ cultivait
Et sans voir Rome en son jardin vivait?
« Si nous savions, ce disait Hésiode[6],
Combien nous sert l'asphodèle, et la mode
De l'accoutrer[7], heureux l'homme serait,
120   Et la moitié le tout surpasserait » :
Par la moitié il entendait la vie
Sans aucun fard des[8] laboureurs suivie,
Qui vivent sains[9] du labeur de leurs doigts,
Et par le tout les délices des rois.
125   La Nature est, ce dit le bon Horace[10],
De peu contente, et notre humaine race

---

1. Nom ancien de la tour, pièce du jeu d'échecs; mot persan désignant le chameau monté par les archers, puis l'éléphant portant une tour, et la tour elle-même. Le terme de *roquer* est encore employé au jeu d'échecs; 2. Allusion au passage des *Géorgiques* de Virgile (IV), où le poète célèbre la vie d'un jardinier de Tarente, vieillard venu de *Corycus* en Cilicie, pays de jardiniers réputés; 3. Houe, hoyau; instrument en usage dans la petite culture; 4. Aliments; 5. *Crassus*, Romain riche et cupide; rival de Pompée; un des triumvirs; périt dans la guerre qu'il menait contre les *Parthes.* L'ennemi lui coupa la tête et versa dans sa bouche de l'or fondu en disant : « Rassasie-toi maintenant de ce vil métal dont tu as été si avide pendant ta vie! »; 6. « Pauvres sots! ils ne savent pas combien la moitié vaut plus que le tout, ni quelle richesse il y a dans la mauve et l'*asphodèle !* » (Hésiode, *les Travaux et les Jours*, v. 40, 41). L'*asphodèle* est une plante liliacée; 7. Accommoder; 8. Par les; 9. En bonne santé; 10. Cf. Horace, *Odes* (I, xxxi, II, x); *Épîtres* (I, x), etc.

Ne quiert[1] beaucoup; mais nous la corrompons
Et par le tout la moitié nous trompons...
C'est trop prêché, donne-moi ma salade.
130 — Trop froide elle est, dis-tu, pour un malade.
— Hé quoi! Jamyn, tu fais le médecin!
Laisse-moi vivre au moins jusqu'à la fin
Tout à mon aise, et ne sois triste augure
Soit à ma vie ou à ma mort future.
135 Car tu ne peux, ni moi, pour tout secours
Faire plus longs ou plus petits nos jours.
Il faut charger la barque charontée[2] :
La barque, c'est une bière voûtée
Faite en bateau; le naître[3] est le trépas;
140 Sans naître ici, l'homme ne mourrait pas.
Fol qui d'ailleurs autre bien se propose!
Naissance et mort est une même chose.

---

1. De *querir* : demander; **2.** De Charon, le passeur des morts aux enfers;
3. La naissance.

53. — LIVRE II (fragment)[1]

[Combat de Francus et Phovère, un géant qui terrorise la Crète et n'est vulnérable qu'au talon.]

1165
Ces champions enflammés de colère,
Ici Francus, de l'autre part Phovère,
D'armes, de taille et de courage grands
Donnants l'esprit[2] aux chevaux par les flancs,
D'un mâle cœur l'un sur l'autre couchèrent[3],

1170
Et leur pavois[4] rudement embrochèrent[5],
Du coup donné le rivage trembla,
Le mont frémit, le fleuve se troubla,
Et par éclats les lances acérées
Furent toucher les voûtes éthérées.

1175
Dedans les mains leur restait le tronçon,
Qu'[6]eux, bien fermés[7] et roides en l'arçon,
De recourir encores s'avisèrent,
Et leurs écus[8] par le milieu brisèrent.
A jour ouvert la targe[9] se cassa,

1180
Comme un glaçon le tronçon se froissa
Et d'un tel heurt leurs échines courbèrent
Que les destriers[10] sur la croupe tombèrent,
Tant d'un grand coup ils s'allèrent choquant.
Puis jusqu'au sang leurs chevaux repiquant,

1185
Haussant la bride, enfin les relevèrent,
Et de leurs mains les coutelas[11] trouvèrent,
Bien aiguisés, qui de l'arçon pendaient,
Et de leur trempe un harnois pourfendaient[12].

1. 1572 (texte de 1584); 2. Ardeur; 3. Couchèrent (la lance) dans la direction de l'adversaire (terme technique); 4. Boucliers; 5. Avec leurs lances; 6. *Lorsque*, ou *Si bien que* (?), la construction n'est pas très claire; 7. Affermis; 8. Boucliers; 9. Petit bouclier de forme irrégulière; 10. Dissyllabique; 11. Épée d'acier à fort tranchant, ancêtre du sabre. « L'auteur arme les deux chevaliers à la mode de nos gendarmes français, la lance en main, la coutelace ou la masse à l'arçon et l'épée au côté. » (Note du commentateur de 1587); 12. Tout ce passage est imité de l'Arioste, *Roland furieux* (XLI, 68) : « Roland, Brandimart et le marquis Olivier accouraient la lance baissée contre Gradasse, Agramant et Sobrin, qui, de leur côté, pressaient vigoureusement leurs chevaux en avant. Le bruit de leur course impétueuse faisait retentir le rivage et la mer voisine. Au moment où ils se rencontrèrent et où les éclats de leurs lances rompues volèrent jusqu'aux cieux, l'épouvantable bruit qu'ils firent souleva les flots de la mer et fut entendu jusqu'en France. »

Dessous le fer sifflant comme tempête,
1190 Ore leur joue, ore sonnait leur tête,
Ore la tempe un coup qui l'autre suit,
Grêle menu, descendait d'un grand bruit,
Comme les fléaux[1] qui résonnent en l'aire
Frappants les dons de notre antique mère[2].

1195 Eux tournoyants et se suivants de près,
Versent des coups plus que la grêle épais,
Qui ne tombaient, soit de pointe ou[3] de taille,
Sans donner ample ouverture à la maille,
La dénouant, rompant et décrochant.

1200 Acier ni fer à leur glaive tranchant
Ne peut durer, ni bouche ni couraye[4],
Tant de leur main est horrible la plaie[5].

Du bon Troyen le cheval fut adroit,
Qui sans frayeur tournait en tout endroit,
1205 Et la cavale[6] en crainte était frappée
Oyant l'effroi du sifflant[7] de l'épée.
L'un ressemblait à ce flot dizenier[8],
Bouffi de vents, horreur du marinier,
Qui d'un grand branle en menaçant se vire,
1210 Impétueux, sur le bord du navire.
L'autre semblait[9] au bon pilote expert,
Qui plus d'esprit que de force se sert ;
Ore la proue, ore la poupe il tourne,
Et, vigilant, en un lieu ne séjourne,
1215 Ains[10], ajoutant l'expérience à l'art,
D'un œil prudent évite le hasard[11].

Ce fier tyran énorgueilli d'audace
Qui de Francus la jeunesse menace,
Se roidissant sur les étriers[12], frappa
1220 Le fin armet[13] du Troyen, qu'il coupa
Deux doigts avant, et l'étonna de sorte
Que le tomber[14] d'une enclume bien forte

---

1. Monosyllabique ; 2. La Terre ; 3. Soit ; 4. Courroie ; 5. Blessure *causée par* leur main ; 6. La cavale de Phovère ; 7. Participe présent employé comme substantif. Cf. *les regardants*, v. 1238 ; 8. « Les Latins l'appellent *unda decumana* : c'est la dixième vague, la plus horrible et dangereuse de toutes. » (Note de Ronsard) ; 9. Ressemblait ; 10. Mais ; 11. Cf. *Roland furieux* (XLI, 74) : « Sobrin, se voyant assailli par un guerrier si redoutable, se resserre sous ses armes et se prépare à le recevoir. Semblable au pilote qui voyant arriver vers lui le flot qui s'avance en mugissant à flots précipités, lui présente la proue et voudrait bien être en sûreté sur le rivage, en mesurant la hauteur à laquelle s'élève la mer, il oppose son écu au choc mortel dont il est menacé » ; 12. Dissyllabique ; 13. Armure de la tête ; 14. Infinitif substantivé.

Serait léger au prix de ce coup-là,
Qui des arçons chancelé l'ébranla.
1225 Car il fut tel que la grand[1] coutelace[2]
Fendant l'armet, alla dessus la place
En maint éclat de flammes allumé,
Laissant le poing du tyran désarmé.
Francus troublé de pâmoison extrême
1230 Perdit la force en se perdant soi-même;
Perdit raison, contenance et couleur,
Grinçant les dents de rage et de douleur :
Et cependant[3] son cheval le promène
Comme il lui plaît au travers de la plaine[4].
1235 Ce fier géant que Francus regardait
Sans se bouger riant le brocardait.
Lors la pâleur qui s'enfante de crainte
Des regardants[5] avait la face peinte,
Et le sang froid qui au cœur s'assembla
1240 Fit que Dicée[6] en soupirant trembla.
Mais, tout ainsi qu'on voit deux colombelles
Frémir de peur et trembloter des ailes
Sous l'épervier aux ongles bien tranchants,
Qui loin du nid s'envolent, par les champs,
1245 Cueillir de l'orge et de l'avoine à[7] paître[8]
Leurs doux enfants qui ne font que de naître,
Ainsi tremblait en l'estomac[9] de peur
Le cœur transi de l'une et l'autre sœur[10]
Qu'Amour brûlait d'une vive flammèche,
1250 Et en leur sang tenait teinte sa flèche.
Tandis[11] Francus en armes eut loisir
De se refaire et la place choisir,
Pour se venger, où le fer le plus rare[12]
Entreserrait la gorge du barbare.
1255 Trois, quatre fois, son cheval repiqua,
Et d'un grand heurt son ennemi choqua,
Tout furieux de colère et d'audace.
Puis dégainant sa courte coutelace

---

1. Féminin; 2. Forme féminine de *coutelas* ; 3. Pendant ce temps; 4. Cf.
Roland furieux (XLI, 97) : « Le cheval de Roland est tellement effrayé qu'il
emporte son cavalier sur le rivage et le comte, tout abasourdi de l'atteinte qui
lui avait été portée », n'eut pas la force de le retenir »; 5. Voir note du v. 1206;
6. Le roi de Crète qui assiste au combat; 7. Pour; 8. Nourrir; 9. Poitrine;
10. Les deux filles du roi Dicée, Hyante et Clymène; 11. Cependant; 12. Le
moins serré.

Droit contre lui sa face retourna,
1260 Et de la pointe un estoc lui donna
Contre la gorge, où la boucle ferrée[1]
Du gorgerin lâchement fut[2] serrée,
Et mi-pâmé sur l'arçon l'abattit.
Avec le sang l'écume lui sortit
1265 Loin de la gueule, à gros flots ondoyante.
Francus le prend, le presse, le tourmente,
Et tellement le courage lui vient
Que d'une main et de l'autre le tient,
Pousse et repousse, et d'un tel nœud le serre
1270 Que des arçons tous deux tombent à terre
Entre-accrochés, tant la fureur les suit.
Dessus leur dos le harnois fait un[3] bruit.

Mais, aussitôt que la terre ils pressèrent,
Plus que devant au combat s'élancèrent
1275 Comme lions de puissance indomptés.
Le fer tranchant sacquent[4] de leurs côtés,
Qui se cachait en leur gaine ivoirine[5]
Et forcenés s'entament la poitrine.
Entre l'ardeur, la haine et les efforts,
1280 Une fureur leur réchauffa le corps.
Ici la rage, ici la chaude honte,
Des champions le courage surmonte[6],
Perd leur raison, si bien qu'à toutes mains,
A vides coups[7], à coups fermes et pleins,
1285 De pointe, taille, et de travers ruèrent,
Et leurs plastrons[8] en cent lieux déclouèrent,
Si[9] que le camp était partout semé
Du fer jailli de leur corps désarmé.
Mais à la fin tous deux prennent haleine
1290 Matés de coups, de sueurs et de peine;
Puis tout soudain comme deux taureaux font,
Rentrent de pieds et de bras et de front
L'un contre l'autre : une horreur, une rage,
Un fier dépit flamboye en leur visage;
1295 Tantôt petits, tantôt ils se font grands
Tantôt courbés, tantôt à demi-flancs,

---

1. En fer; **2.** Était; **3.** *Un grand* bruit; **4.** Tirent; **5.** D'ivoire; **6.** Exalté;
7. Coups donnés dans le vide; **8.** Partie de la cuirasse qui couvre le devant du corps.

Dessus la jambe, ores gauche ores dextre,
Contre-avisaient où le coup pouvait être
Mieux assené, mais point ne se trompaient :
1300   Car tout d'un coup ils paraient et frappaient,
Tous deux gravant au fond de leur mémoire
Le chaud désir de gagner la victoire.

    Francus voyant que le jour lui faillait,
Et que sa main pour néant travaillait,
1305   Comme un gerfaut qui de roideur se laisse
Caler à bas[1] ouvrant la nue épaisse
Dessus un cygne amusé sur le bord,
Ainsi, doublant effort dessus effort,
Sur le grand corps s'élance de rudesse,
1310   Ajoutant l'art avecques la prouesse;
Sous lui se rue et de près l'attacha[2];
La gauche main à son col accrocha,
Et de la dextre en contrebas le tire.
Il le tourmente, il le tourne, il le vire,
1315   Le choque, heurte, et d'un bras bien tendu
Le tient en l'air longuement suspendu;
Puis du genou les jambes lui traverse,
Et le fait choir tout plat à la renverse.
Phovère imprime, en tombant de son long,
1320   La poudre molle : ainsi tombe le tronc
Qu'un vent abat du haut de la montagne,
Qui tout à plat s'étend sur la campagne.

    De bras, de tête, et d'ongles bien crochus,
Cent fois essaye à se remettre sus[3];
1325   Se débattant, mais en vain il s'efforce,
Car du Troyen la vigoureuse force
Tient le genou comme victorieux[4]
Sur l'estomac, le poignard sur les yeux.
Trois, quatre fois, de toute sa puissance
1330   L'avait frappé, quand il eut souvenance
Que le trépas de ce cruel félon
Était enclos aux veines du talon.
Pour ce[5] il se tourne, et promptement assène
L'endroit certain où tressaillait la veine.
1335   Du fer poignant coup sur coup la chercha,
Et veine et vie ensemble lui trancha.

---

1. Descendre; 2. Même sens et même mot que *attaqua* ; 3. Debout; 4. En signe de victoire; 5. S'élide.

54. — LIVRE IV (fragment)[1]
[LA BATAILLE DE TOURS]

[. . . . .]
Ce jour Martel aura tant de courage
1590 Qu'apparaissant en hauteur davantage
Que de coutume, on le dira vêtu
D'un corps divin renforcé de vertu.
    Le sacre fait[2], l'hostie étant rompue
Et départie à la troupe repue
1595 Du vrai saint pain, chacun, armé de Dieu,
S'arme de fer et s'arrange en son lieu[3].
Lui, tout horrible, en armes flamboyantes,
Mêlant le fifre aux trompettes bruyantes,
Et de tambours rompant le ciel voisin
1600 Éveillera le peuple Sarrazin,
Qui l'air d'autour emplira de hurlées.
Ainsi qu'on voit des torrents aux vallées
Du haut des monts descendre d'un grand bruit,
En écumant la ravine[4] se suit
1605 A gros bouillons, et maîtrisant la plaine,
Gâte des bœufs et bouviers la peine :
Ainsi courra de la fureur guidé
Avec grand bruit ce peuple débridé.
    Or comme on voit alors qu'une tempête
1610 D'un grand rocher vient arracher la tête,
Puis la poussant et lui pressant le pas,
La fait rouler du haut jusques à bas :
Tour dessus tour, bond dessus bond se roule
Ce gros morceau qui rompt, fracasse et foule
1615 Les bois tronqués, et d'un bruit violent
Sans résistance à bas se va boulant[5] :
Mais quand sa chute en tournant est roulée
Jusqu'au profond de la creuse vallée,
S'arrête coi : bondissant il ne peut
1620 Courir plus outre, et d'autant plus qu'il veut

---

1. 1572, texte de 1587. Ce passage appartient à la prédiction sur l'histoire de France, que Hyante, fille du roi de Crète, fait à Francus (imité de *l'Énéide*, VI) ; il s'agit de la bataille de Tours-Poitiers, livrée par Charles Martel aux Sarrasins (732) ; **2.** Latinisme : *sacrum facere* ; il s'agit du sacrifice de la messe ; **3.** Ces quatre vers sont une addition de 1587 ; **4.** Torrent ; **5.** *Se boulant* : roulant comme une boule.

Rompre le bord, et plus il se courrousse,
Plus le rempart le presse et le repousse :
Ainsi leur camp en bandes divisé
Ayant trouvé le peuple baptisé,
1625 Bien qu'acharné de meurtre et de tuerie,
Sera contraint d'arrêter sa furie.
Chacun de rang en son ordre se met,
Le pied le pied, l'armet[1] touche l'armet,
La main la main, et la lance la lance :
1630 Contre un cheval l'autre cheval s'élance,
Et le piéton l'autre piéton assaut[2].
Ici l'adresse, ici la force vaut :
Sort et vertu pêle-mêle s'assemblent;
Dessous les coups les armures qui tremblent,
1635 Font un grand son : Victoire qui pendait
Douteuse au ciel, les combats regardait.
Au mois d'Été quand la pauvre famille
Du laboureur tient en main la faucille,
Et se courbant abat de son seigneur
1640 Les épis mûrs, des campagnes l'honneur :
Tant de moisson, tant de blonde javelle[3]
L'une sur l'autre épais ne s'amoncelle
De tous côtés éparses sur les champs,
Que de corps morts par les glaives tranchants
1645 Seront occis de la gent Sarrazine.
En moins d'un jour hôtes de Proserpine
Iront là-bas trois cent mille tués,
L'un dessus l'autre en carnage rués.
Mille ans après les Tourangelles plaines
1650 Seront encor de carcasses si pleines,
D'os, de harnois, de vides morions[4],
Que les bouviers en traçant leurs sillons
N'oirront[5] sonner sous la terre férue[6]
Que de grands os heurtés de la charrue[7].
[. . . . .]

---

1. Armure de tête; **2.** Verbe *assaillir* ; **3.** Poignées de blé coupé non encore recueillies en gerbes; **4.** Casques légers (xvie siècle); **5.** Verbe *Oïr, ouïr* ; **6.** Verbe *férir* ; **7.** Réminiscence de Virgile (*Géorgiques*, fin du livre Ier) : « Sans doute, un temps viendra que, dans ces contrées (la Thessalie, allusion à Pharsale), le laboureur creusant la terre du soc recourbé, découvrira des javelots rongés de rouille rugueuse, et de son lourd hoyau heurtera des casques vides, et, stupéfait, contemplera les grands os surgis des sépulcres défoncés. » (Cf. V. Hugo : *les Rayons et les Ombres*, viii.) Mais il y a peut-être aussi un souvenir personnel.

Phot. Giraudon.

CHARLES IX.

Portrait par François Clouet.

QUATRIÈME PARTIE

LA VIEILLESSE

(1572-1585)

Jà du prochain hiver je prévois la tempête;
Jà cinquante et six ans ont neigé sur ma tête;
Il est temps de laisser les vers et les amours...
(à Nicolas de Neufville).

Ce qui se passait de 1572 à 1585. — En POLITIQUE. *Le duc d'Anjou élu roi de Pologne (1573). Mort de Charles IX, avènement de Henri III qui quitte brusquement la Pologne (1574). Troubles créés par les Malcontents, paix de Monsieur, les États de Blois, la Ligue (1576). Sixième et septième guerre (1576-1580). Mort de Monsieur (1584). Débuts de la huitième guerre (juillet 1585). Avènement du pape Sixte Quint (1585).*

DANS LES ARTS. Arts plastiques. *Le Greco à Tolède (1575)* : L'enterrement du comte d'Orgaz *(1584). Le Tintoret et Véronèse au palais des Doges (1577). Cours public de Bernard Palissy, à Paris (1575). J. Androuet du Cerceau* : Les plus excellents bâtiments de France *(1576). Germain Pilon : tombeaux de Quélus, Maugiron et Saint-Mégrin (1578).*

Musique. *Beaulieu et Salmon* : Ballet comique de la reine *(1581). Roland de Lassus* : Musique, pour deux chœurs à quatre parties, du sonnet 32 *(1576). Jacques Mauduit* : Requiem *pour Ronsard (1586).*

EN LITTÉRATURE. En Italie, *Le Tasse* : Aminta *(1573),* la Jérusalem délivrée *(1575).* — En Espagne, *Sainte Thérèse d'Avila* : le Château intérieur *(1577). Cervantes* : Galatée *(1580).* — En Angleterre, *Spenser* : le Calendrier des Bergers *(1579). J. Lyly* : Euphues *(1580). Ph. Sidney* : Arcadie *(1580).* — En France, *Ph. Desportes* : Premières œuvres poétiques *(1573). La Boétie* : le Contr'un *(1575). R. Belleau* : les Amours et les échanges des pierres précieuses *(1576). D'Aubigné commence les Tragiques (1577). Mort de R. Belleau (1577). Larivey* : Comédies. *Du Bartas* : la Semaine *(1579). Montaigne* : les Essais, *liv. I et II (1580). Baïf* : Mimes, enseignements et proverbes *(deuxième édition, 1581). R. Garnier* : les Juives *(1583). Du Perron* : Oraison funèbre sur la mort de M. de Ronsard *(1586).*

Ronsard de 1572 à 1585. — *Discours au Roi après son retour de Pologne* (1575). — Ronsard, prieur de Saint-Gilles à Montoire (Vendômois). — Édition des *Œuvres* en sept tomes (1578). Édition des *Œuvres* in-folio (1584). — Mort de Ronsard (27 décembre 1585); service funèbre en l'honneur de Ronsard; édition des *Derniers Vers* (24 février 1586).

1º *Dernières amours.* — En 1578, Ronsard n'avait pas seulement revu et corrigé soigneusement ses œuvres, avec une grande sévérité, comme s'il craignait déjà Malherbe; elles étaient augmentées de plus de 200 pièces amoureuses. Quelques-unes étaient consacrées à la mort de Marie, survenue entre 1572-1578; la mort précoce de l'oubliée (elle n'avait pas trente-deux ans) émut profondément Ronsard (**55**). La majorité de ces nouveaux poèmes, une centaine de sonnets, étaient dédiés à Hélène de Surgères, une Saintongeoise, fille d'honneur de la reine mère, qui avait perdu son fiancé dans la guerre civile; Desportes, un des disciples de Ronsard, venait de remettre le pétrarquisme à la mode (1573); mais Ronsard, là encore, affirma sa maîtrise de style; une émotion grave, pleine de charme, se mêle au jeu de l'inspiration; bientôt ce dernier amour qui n'était qu'un rêve entretenu par la poésie, « un été de la Saint-Martin », s'évanouit (**56 à 64**).

2º *La vieillesse.* — La gloire de Ronsard était européenne : Le Tasse venait lui présenter ses premiers ouvrages. Il ne cessait pas d'écrire. A l'avènement de Henri III, il élève à nouveau la voix au nom de la nation, souhaitant un règne réparateur; il est appelé par le nouveau roi à discourir dans l'*Académie du Palais ;* et toujours curieux de nouveau, il médite des satires; mais le dernier Valois préférait la poésie plus élégante et plus facile de Desportes qu'il accablait d'abbayes bien rentées. Bientôt Ronsard fuit la cour; il séjourne dans ses modestes prieurés de Touraine et du Vendômois (**66**). C'est là qu'usé, affligé de la goutte, il voit abattre sa chère forêt (**67**), et la guerre civile désoler à nouveau la patrie. Mais, confiant dans sa gloire, il prépare une nouvelle édition de ses œuvres, encore revues, corrigées et augmentées, en un volume in-folio, un monument (1584).

3º *La mort.* — Ronsard séjourne pendant le début de l'année 1585 à Paris, où il avait des procès. Malade, il se fait transporter en coche spécial dans ses prieurés du Vendômois, puis dans son prieuré de Saint-Cosme, où il meurt chrétiennement le surlendemain de Noël et où il est inhumé. Le 24 février 1586[1], dans la chapelle du collège Boncourt à Paris, un service solennel a lieu en l'honneur de Ronsard; en présence d'une assistance considérable, la musique du roi exécute le *Requiem* composé spécialement par Jacques

---

1. On a remarqué que la date choisie pour cette cérémonie était l'anniversaire de la bataille de Pavie. Cf. vol. Iᵉʳ, *Introduction*.

Mauduit et qui est son chef-d'œuvre; l'évêque d'Évreux, Du Perron, prononce l'oraison funèbre, le premier chef-d'œuvre de l'éloquence d'apparat (cf. *Jugements*, p. 70). Le même jour paraissait, dédié « à la noble et vertueuse compagnie qui a honoré les obsèques de M. de Ronsard, prince des poètes français », le petit recueil, si émouvant, des *Derniers vers de P. de Ronsard*, dictés, à ses familiers, de son lit de souffrance (**68** à **75**). Une tranquille gloire paraissait attendre ses ouvrages. Ses amis en éditaient, d'après ses papiers, la première édition posthume, en dix tomes (1587); Marie Stuart, captive d'Élisabeth Iʳᵉ, se console en chantant les vers de son poète, et quand le duc de Guise, en décembre 1588, au matin d'un jour de neige, traverse les appartements de Blois où l'attendent ses assassins, il fredonne, dit-on : « Mignonne, allons voir si la rose... »

———

55. — SUR LA MORT DE MARIE[1]

Comme on voit sur la branche au mois de mai la rose
En sa belle jeunesse, en sa première fleur,
Rendre le ciel jaloux de sa vive couleur,
Quand l'Aube de ses pleurs au point du jour l'arrose;

5 La Grâce dans sa feuille et l'Amour se repose[2],
Embaumant les jardins et les arbres d'odeur;
Mais, battue ou de pluie ou d'excessive ardeur,
Languissante elle meurt, feuille à feuille déclose[3].

Ainsi, en ta première et jeune nouveauté,
10 Quand la terre et le ciel honoraient ta beauté,
La Parque t'a tuée, et cendre tu reposes[4].

Pour obsèques[5] reçois mes larmes et mes pleurs[6],
Ce vase plein de lait, ce panier plein de fleurs[7],
Afin que vif et mort ton corps ne soit que roses[8].

1. 1578. La mort de Marie (Dupin?) se place entre 1572-1578 : elle est le sujet d'un groupe de poèmes ainsi intitulé et annexé en 1578 aux *Amours de Marie*. Selon quelques-uns, il s'agirait non pas de la même Marie que celle qu'avait célébrée autrefois Ronsard, mais de la princesse Marie de Clèves, aimée par Henri III, qui, suivant les usages du temps, aurait demandé à Ronsard de pleurer sa mort prématurée : elle était morte en 1574, à vingt et un ans; 2. Accord avec le dernier sujet; 3. Cf. 17, v. 2; 4. L's du pluriel se prononçait au XVIe siècle, ce qui diminue l'irrégularité des rimes féminines des tercets; 5. Offrandes qui *suivent* le défunt dans la tombe; 6. Différent de *pleurs* du v. 4 : gémissements. (André Chénier : « Elle entendra mes pleurs, elle verra mes larmes. ») Cf. *Anthologie grecque*, épitaphe d'Héliodora par Méléagre : « Tu m'es toujours chère, même parmi les morts, et moi, Méléagre, je m'écrie hélas! — inutile hommage à l'Achéron. Hélas! Hélas! où est ma fleur bien-aimée! Hadès me l'a ravie; il l'a ravie, et la poussière en a terni l'éclat, etc... »; 7. Des libations étaient faites par les Anciens sur le tombeau même du mort : lait, vin, huile, miel, gâteaux, sel, fruits, fleurs, parfums; les liquides étaient déposés dans des vases; il y avait aussi des sacrifices sanglants d'animaux noirs; 8. Cf. les *Stances* du même recueil :

[. . . . .]

Hélas! où est ce doux parler,	En ton âge le plus gaillard,
Ce voir, cet ouïr, cet aller,	Tu as laissé seul ton Ronsard,
Ce rire qui me faisait apprendre	Dans le ciel trop tôt retournée,
Que (a) c'est qu'aimer ? Ha! doux refus!	Perdant beauté, grâce et couleur,
Ha! doux dédains! vous n'êtes plus,	Tout ainsi qu'une belle fleur
Vous n'êtes plus qu'un peu de cendre!	Qui ne vit qu'une matinée...
[. . . . .]	a) Ce que.

SONNETS POUR HÉLÈNE
— 56[1] —

Otez votre beauté, ôtez votre jeunesse,
Otez ces rares dons que vous tenez des cieux,
Otez ce docte[2] esprit, ôtez-moi ces beaux yeux
Cet aller, ce parler digne d'une déesse.

5 Je ne vous serai plus d'une importune presse[3],
Fâcheux comme je suis; vos dons si précieux
Me font, en les voyant, devenir furieux,
Et par le désespoir l'âme prend hardiesse.

Pour ce, si quelquefois je vous touche la main,
10 Par courroux votre teint n'en doit devenir blême;
Je suis fol, ma raison n'obéit plus au frein,

Tant je suis agité d'une fureur extrême;
Ne prenez, s'il vous plaît, mon offense à dédain;
Mais, douce, pardonnez mes fautes à vous-même.

---

57. — CHANSON[4]

[. . . . .]
Dans les Champs Élysés[5] une même navire[6]
20   Nous passera tous deux.
Là, morts de trop aimer, sous les branches myrtines[7],
        Nous verrons tous les jours

---

1. 1578. Livre I; 2. Texte primitif : *bel* ; 3. Empressement; 4. 1578, Livre I (texte de 1584). Imité de Jean Second, poète néo-latin : « Ainsi, nous pourrions mourir de nous aimer, et il ne faudrait qu'un navire pour porter deux amants vers la pâle demeure de Pluton. Bientôt, à travers une campagne parfumée et son éternel printemps, nous avancerions en ces lieux, où tous les jours, prolongeant leurs anciens amours, les Héroïnes auprès des illustres Héros, mènent des chœurs de danse, ou chantent joyeusement des chansons alternées dans le val des myrtes. Là les violettes, les roses, les blonds narcisses, sous des ombrages frémissants, ornent à plaisir un bois de laurier; là, dans un murmure harmonieux, à jamais sifflent doucement les tièdes zéphires; là, sans que le soc la blesse, la terre ouvre d'elle-même ses flancs féconds. La troupe des Bienheureux se lèverait toute pour nous honorer, et sur les sièges de gazon, parmi les fils d'Homère, nous mettrait à la première place; nulle, fût-elle aimée de Jupiter, ne s'indignerait qu'on lui ravît cet honneur, pas même la fille de Tyndare, née de Jupiter (Hélène) »; 5. Élysées. Ronsard, comme Second, confond les Champs Élysées, séjour des grands hommes, et la vallée des myrtes, séjour des amoureux (Virgile, VI, 639 et 440); 6. Souvent féminin alors; 7. Cf. 61, v. 10.

Les anciens Héros auprès des Héroïnes
>> Ne parler que d'amours.
25 Tantôt nous danserons par[1] les fleurs des rivages
>> Sous maints accords divers,
Tantôt, lassés du bal, irons sous les ombrages
>> De lauriers toujours verts,
Où le mollet Zéphire en haletant secoue
30 De soupirs printaniers
Ores les orangers, ores, mignard, se joue
>> Parmi les citronniers.
Là du plaisant avril la saison immortelle
>> Sans échange se suit,
35 La terre sans labeur, de sa grasse mamelle,
>> Toute chose y produit.
D'en bas la troupe sainte autrefois amoureuse,
>> Nous honorant sur tous,
Viendra nous saluer, s'estimant bien heureuse
40 De s'accointer de[2] nous;
Puis, nous faisant asseoir dessus l'herbe fleurie
>> De toutes au milieu,
Nulle en se retirant ne sera point marrie
>> De nous quitter son lieu[3];
45 Non celle[4] qu'un taureau sous une peau menteuse
>> Emporta dans la mer,
Non celle[5] qu'Apollon vit, vierge dépiteuse,
>> En laurier se former;
Ni celles qui s'en vont toutes tristes ensemble,
50 Artémise[6] et Didon[7],
Ni cette belle Grecque à qui ta beauté semble,
>> Comme tu fais de nom[8].

---

1. Parmi; **2.** Faire connaissance avec; **3.** Céder sa place; **4.** Europe, enlevée par Jupiter, qui avait pris la forme d'un taureau; **5.** Daphné, poursuivie par Apollon qu'elle méprisait *(dépiteuse)*, fut métamorphosée en laurier; **6.** Veuve inconsolable du roi Mausole, à qui elle avait élevé le « Mausolée » pour perpétuer son désespoir; **7.** Didon abandonnée par Énée (rencontrée par lui aux Enfers, elle s'enfuit, hostile, dans la forêt ombreuse... [*Énéide*, VI, 472]); **8.** Hélène de Sparte, à qui il compare Hélène de Surgères, comme il avait comparé Cassandre Salviati à Cassandre de Troie. (Cf. aussi **59** et **60**).

— 58[1] —

Afin qu'à tout jamais de siècle en siècle vive
La parfaite amitié que Ronsard vous portait,
Comme votre beauté la raison lui ôtait,
Comme vous enlacez sa liberté captive;

5 Afin que d'âge en âge à nos neveux[2] arrive
Que toute dans mon sang votre figure était,
Et que rien sinon vous mon cœur ne souhaitait,
Je vous fais un présent de cette Sempervive[3].

Elle vit longuement en sa jeune verdeur :
10 Longtemps après la mort je vous ferai revivre,
Tant peut le docte soin d'un gentil serviteur,

Qui veut, en vous servant, toutes vertus ensuivre.
Vous vivrez, croyez-moi, comme Laure[4] en grandeur,
Au moins tant que vivront les plumes et le livre.

———————

— 59[5] —

Adieu, belle Cassandre, et vous, belle Marie,
Pour qui je fus trois ans en servage à Bourgueil;
L'une vit, l'autre est morte, et ores de son œil
Le ciel se réjouit, dont[6] la terre est marrie[7].

5 Sur mon premier avril, d'une amoureuse envie
J'adorai vos beautés, mais votre fier orgueil
Ne s'amollit jamais pour larmes ni pour deuil,
Tant d'une gauche[8] main la Parque ourdit ma vie.

---

1. 1578. Livre II des *Sonnets pour Hélène* ; **2.** Descendants; **3.** Immortelle, ou amarante, ou fleur d'amour, ou passe-velours. « Cette fleur est fort rouge. [...] Elle ne perd jamais sa couleur, pour sèche qu'elle soit. Étant mise en l'eau, elle reverdit, et sert à faire des bouquets ou chapeaux tout l'hiver... » (Furetière). — « ...Ce n'est pas sans cause qu'il lui fait ce présent, la sempervive est d'une habitude à faire aimer. C'est pourquoi on l'attachait anciennement aux portes des maisons pour en chasser toutes haines et inimitiés » (commentaire de Richelet); **4.** Chantée par Pétrarque; **5.** 1578. Livre II des *Sonnets pour Hélène ;* **6.** Ce dont. Cf. 50, v. 269; **7.** Le texte de 1578 : *dans la terre est Marie* est visiblement une erreur d'impression; nous adoptons la correction de 1584; **8.** Signe de malheur chez les Anciens.

Maintenant, en automne encore malheureux,
10 Je vis comme au printemps, de nature amoureux,
Afin que tout mon âge[1] aille au gré de la peine.

Et, ores que je dusse être exempt du harnois[2],
Mon colonel[3] m'envoie à grands coups de carquois
Rassiéger Ilion pour conquérir Hélène[4].

— 60[5] —

« Il ne faut s'ébahir, disaient ces bons vieillards[6],
Dessus le mur troyen, voyant passer Hélène,
Si pour telle beauté nous souffrons tant de peine :
Notre mal ne vaut pas un seul de ses regards.

5 Toutefois il vaut mieux, pour n'irriter point Mars,
La rendre à son époux, afin qu'il la remmène,
Que voir de tant de sang notre campagne pleine,
Notre havre gagné, l'assaut à nos remparts. »

Pères, il ne fallait, à qui la force tremble,
10 Par un mauvais conseil les jeunes retarder;
Mais, et jeunes et vieux, vous deviez tous ensemble

Et le corps et les biens pour elle hasarder.
Ménélas fut bien sage et Pâris, ce me semble,
L'un de la demander, l'autre de la garder[7].

— 61[8] —

Quand vous serez bien vieille, au soir à la chandelle.
Assise auprès du feu, dévidant[9] et filant,

---

1. Vie; 2. Armure, d'où service militaire; 3. L'Amour; correction de 1584 :
Mon maître Amour ; 4. Cf. 57, v. 52 et la note; 5. 1578. Livre II des *Sonnets
pour Hélène ;* 6. Allusion aux paroles des vieillards de Troie voyant passer
Hélène : « Certes, il est naturel que pour une telle femme Troyens et Achéens
supportent tant de périls. Combien son visage ressemble à celui des déesses
immortelles! Pourtant, si belle qu'elle soit, qu'elle retourne sur les vaisseaux,
qu'elle ne laisse pas ici derrière elle la souffrance pour nous et nos enfants
(*Iliade*, III); 7. Ces deux vers sont imités de Properce (*Élégies*, II, 3) : « Ah! Pâris,
tu étais sage, et toi aussi, Ménélas : l'un demandait sa femme, et l'autre la
gardait »; 8. 1578. Livre II des *Sonnets pour Hélène ;* 9. On mettait en éche-
veau, à l'aide du dévidoir, le fil enroulé autour du fuseau. Cf. 39, v. 4 et 14.

Direz, chantant mes vers, en vous émerveillant :
« Ronsard me célébrait du temps que j'étais belle. »

5   Lors vous n'aurez servante oyant telle nouvelle,
Déjà sous le labeur à demi sommeillant,
Qui au bruit de Ronsard[1] ne s'aille réveillant,
Bénissant[2] votre nom de louange immortelle[3].

Je serai sous la terre, et fantôme sans os
10 Par les[4] ombres[5] myrteux[6] je prendrai mon repos :
Vous serez au foyer une vieille accroupie,

Regrettant mon amour et votre fier dédain.
Vivez, si m'en croyez, n'attendez à demain :
Cueillez dès aujourd'hui les roses de la vie.

————

— 62[7] —

Je plante en ta faveur cet arbre de Cybèle[8],
Ce pin, où tes honneurs se liront tous les jours :
J'ai gravé sur le tronc nos noms et nos amours,
Qui croîtront à l'envi de l'écorce nouvelle.

5 Faunes, qui habitez ma terre paternelle,
Qui menez sur le Loir vos danses et vos tours,
Favorisez la plante et lui donnez secours,
Que l'été ne la brûle et l'hiver ne la gèle.

Pasteur qui conduiras en ce lieu ton troupeau,
10 Flageolant[9] une églogue en ton tuyau d'aveine[10],
Attache tous les ans à cet arbre un tableau[11]

Qui témoigne aux passants mes amours et ma peine ;
Puis, l'arrosant de lait et du sang d'un agneau,
Dis : « Ce pin est sacré, c'est la plante d'Hélène. »

1. Correction de 1584 : *au bruit de mon nom* ; **2.** Disant du bien de ; **3.** Nom dont la gloire est immortelle (latinisme ; cf. « un nom de renom ») ; **4.** A travers ; **5.** Masculin ; **6.** Des myrtes. Cf. **57**, v. 21. Ronsard hésite entre trois adjectifs : *myrtin* (lat. *myrtinus*), *myrteux* et *myrté* ; **7.** 1578. *Sonnets pour Hélène*, livre II, composé probablement à Croixval (cf. v. 6), comme **63**. De semblables dédicaces ne sont pas rares chez les poètes latins du XVIe siècle, Sannazar ou Navagero ; **8.** Le pin était consacré à Cybèle, « la grande mère des Dieux » ; **9.** Jouant comme sur un flageolet ; **10.** *Avoine*. C'est le pipeau rustique du berger de Virgile, fait du chaume des graminées. Cf. **67**, v. 32 ; **11.** Cf. **51**, v. 6.

— 63[1] —

Afin que ton honneur coule parmi la plaine
Avant[2] qu'il monte au Ciel engravé dans un pin[3],
Invoquant tous les Dieux et répandant du vin,
Je consacre à ton nom cette belle fontaine.

5 Pasteurs, que vos troupeaux frisés de blanche laine
Ne paissent à ces bords : y fleurisse le thym,
Et la fleur, dont le maître eut si mauvais destin[4],
Et soit dite[5] à jamais la fontaine d'Hélène.

Le passant en été s'y puisse reposer,
10 Et assis dessus l'herbe à l'ombre composer
Mille chansons d'Hélène, et de moi lui souvienne.

Quiconques en boira, qu'amoureux il devienne,
Et puisse en la humant une flamme puiser
Aussi chaude qu'au cœur je sens chaude la mienne.

---

1. 1578. *Sonnets pour Hélène*, livre II. Ronsard consacre à Hélène une fontaine de son Vendômois, dans le vallon de la Cendrine, en amont de son prieuré de Croixval, près du domaine de Rocantuf (commune des Hayes). Elle existe encore : elle est consacrée à saint Germain ; est un but de pèlerinage annuel. A la suite d'un sonnet se trouvent des *stances* pastorales :

[. . . . .]
Le pasteur en tes eaux nulle branche ne jette (*a*).
Le bouc de son ergot ne te puisse fouler,
Ains comme un beau cristal toujours tranquille et nette
Puisses-tu par les fleurs éternelle couler.

Les nymphes de ces eaux et les hamadryades
Que l'amoureux satyre en les bois poursuit,
Se tenants main à main de sauts et de gambades,
Aux rayons du croissant y dansent toute nuit!

Si j'étais un grand Prince, un superbe édifice
Je voudrais te bâtir, où je ferais fumer
Tous les ans à ta fête autels et sacrifice,
Te nommant pour jamais la Fontaine d'aimer.

Advienne après mille ans qu'un pastoureau dégoise
Mes amours et qu'il conte aux nymphes d'ici près
Qu'un Vendômois mourut pour une Saintongeoise (*b*).
Et qu'encor son esprit erre entre ces forêts,

Fontaine cependan t de cette tasse pleine
Reçois ce vin sacré que je verse dans toi :
Sois dite pour jamais la Fontaine d'Hélène
Et conserve en tes eaux mon amour et ma foi.

a) Subjonctif; *b*) Hélène de Surgères était originaire de Saintonge.

2. Correction de 1584 : *autant* ; **3.** Voir le sonnet précédent (**62**, v. 3 et 4) : « J'ai gravé sur le tronc nos noms et nos amours »; **4.** L'anémone, née de la blessure d'Adonis, ou encore le *narcisse* ou l'*hyacinthe*. Cf. **66.** Correction de 1584: « *Et tant de belles fleurs qui s'ouvrent au matin* »; **5.** Et *qu' (elle)* soit dite.

— 64[1] —

Je chantais ces sonnets, amoureux d'une Héleine,
En ce funeste mois[2] que mon Prince[3] mourut :
Son sceptre, tant fût grand[4], Charles ne secourut,
Qu[5]'il ne payât sa dette à la Nature humaine.

5 La Mort fut d'une part, et l'Amour qui me mène,
Était de l'autre part, dont le trait me férut[6],
Et si bien la poison[7] par les veines courut,
Que j'oubliai mon maître, atteint d'une autre peine.

Je senti dans le cœur deux diverses douleurs,
10 La rigueur de ma Dame, et la tristesse enclose
Du Roi, que j'adorais pour ses rares valeurs.

La vivante et la mort tout malheur[8] me propose :
L'une aime les regrets, et l'autre aime les pleurs :
Car l'Amour et la Mort n'est qu'une même chose.

———

— 65[9] —

Amour, je prends congé de ta menteuse école,
Où j'ai perdu l'esprit, la raison et le sens,
Où je me suis trompé, où j'ai gâté mes ans,
Où j'ai mal employé ma jeunesse trop folle.

5 Malheureux qui se fie en un enfant qui vole,
Qui a l'esprit soudain, les effets inconstants,
Qui moissonne nos fleurs avant notre printemps,
Qui nous paît de créance[10] et d'un songe frivole.

Jeunesse l'allaita, le sang chaud le nourrit,
10 Cuider[11] l'ensorcela, Paresse le pourrit
Entre les voluptés vaines comme fumées.

Cassandre me ravit, Marie me tint pris ;
Jà grison à la Cour d'une autre[12] je m'épris :
L'ardeur d'amour ressemble aux pailles allumées.

1. 1578. *Amours d'Hélène*, livre II, dernier sonnet ; 2. 30 mai 1574 ;
3. Charles IX ; 4. Si grand qu'il fût ; 5. Au point d'empêcher que ; 6. Verbe
férir ; 7. Féminin ; 8. Toute espèce de, rien que ; 9. 1578. *Amours diverses* ;
10. Confiance ; 11. L'illusion présomptueuse. Cf. 42, v. 74 ; ces allégories sont
dans le goût du *Roman de la Rose* ; 12. Hélène.

LETTRE[1]
à M. Scevole de Sainte-Marthe[2].

Monsieur mon antien amy, c'est (disoit Aristophane) une[3] faix insupportable de servir un maistre qui radoute[4]. Parodizant la dessus[5], c'est un grand malheur de servir une maistresse qui n'a jugement ny raison en nostre poesie, qui ne sçait pas que les poettes, principallement en petis et menus fatras come elegies epigrames et sonnetz ne gardent ny ordre ny temps, c'est affaire aux historiographes qui escrivent tout de fil en eguille[6]. Je vous suplie, Monsieur, ne vouloir croire en cela mademoiselle de Surgeres et n'ajouter ny diminuer rien de mes sonnetz s'il vous plaist. Si elle ne les trouve bons, qu'elle les laisse, je n'ay la teste rompue d'autre chose. On dit que le roy vient a Blois et a Tours et pour cela je m'enfuy a Paris et y seray en bref, car je hay la court come la mort. Si elle[7] veult faire quelque dessaing[8] de marbre sur la fonteine, elle le pourra faire, mais ce sont deliberations de femmes, qui ne durent qu'un jour, qui de leur nature sont si avares qu'elles ne voudroyent pas despendre un escu pour un beau fait. Faittes luy voir cette lettre si vous le trouvez bon. Je vous baise les mains de toute affection. De vostre Croixval ce cinquiesme de juillet. Vostre humble et antien amy a vous servir.

RONSARD.

(Au dos) : A Monsieur et antien amy, Monsieur de Sainte-Marthe, logé au pillier verd rue de la Harpe a Paris.

---

1. Sans date ; elle doit être contemporaine de l'édition des *Sonnets pour Hélène* de 1578 ou de 1584. L'original de cette lettre est conservé à la Bibliothèque nationale : c'est un des rares autographes de Ronsard qui nous soient parvenus (v. ci-contre). Nous avons respecté l'orthographe ; **2.** Poète français et latin, né en 1536, très estimé de Ronsard : il le chargeait de surveiller l'édition de ses œuvres ; **3.** *Sic.* Le commencement de *chose* a été rayé ; **4.** Radote ; **5.** S'il m'est permis de parodier ce mot ; **6.** Hélène aurait voulu conserver l'ordre chronologique des pièces qu'elle avait inspirées ; **7.** *Vous* a été rayé ; **8.** Monument.

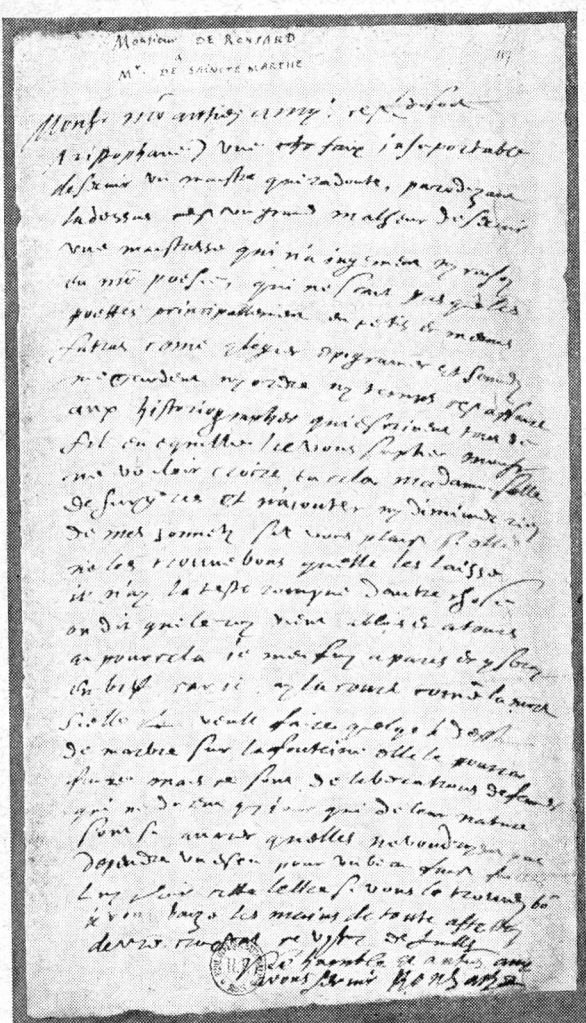

Phot. Giraudon.

LETTRE DE RONSARD À GAUCHER DE SAINTE-MARTHE.

— 66 —

À MONSEIGNEUR LE DUC DE TOURAINE
FRANÇOIS DE VALOIS
entrant en le jardin de l'auteur[1].

Une Nymphe jardinière parle :

Ces grands, ces triomphants, ces superbes Romains,
Qui avaient eu du ciel un si riche avantage,
N'avaient que cinq arpents de terre en labourage,
Et si[2] tenaient pourtant l'Empire entre leurs mains.

5 Ces grandeurs, ces honneurs, dont les hommes sont pleins,
Ne sont pas les vrais biens qui font l'homme plus sage :
Un petit clos de terre, un petit héritage
Les rend plus vertueux, plus gaillards et plus sains.

Ces arbres, qui pour vous leurs robes renouvellent,
10 Ces fleurs et ces jardins et ces fruits vous appellent,
Célébrants jusqu'au ciel vos faits et vos valeurs,

Dignes d'avoir autels, temples et sacrifice ;
Et que[3] votre beau nom écrit[4] entre les fleurs,
Se fasse compagnon d'Ajax et de Narcisse[5].

1. Publié en 1578, *Sonnets divers*. Composé vers août 1576. François d'Alen-çon, « Monsieur », dernier frère de Henri II, prince âgé de vingt-deux ans, chef des *Malcontents*, qui inquiétait le roi par ses intrigues, venait d'être investi à la paix de Beaulieu, dite de Monsieur (mai), des duchés de Touraine et d'Anjou. Après son entrée solennelle à Tours, le nouveau duc alla visiter Ronsard en son prieuré de Saint-Cosme-en-l'Île ; le poète le harangua, lui vantant le mépris des fausses grandeurs et la supériorité de la vie rustique ; puis il céda la parole à une *nymphe jardinière* (quelque paysanne costumée) qui récita ce sonnet ; 2. Cependant ; 3. *Dignes* est construit avec deux complé-ments différents ; 4. Selon Ovide (*les Métamorphoses*, XIII, 395), du sang d'Ajax suicidé après une crise de jalousie furieuse, était née la fleur d'hya-cinthe, sur laquelle les deux premières lettres de son nom (AI) sont gravées ; 5. Selon Ovide (*les Métamorphoses*, III, 59), Narcisse, mort de trop s'aimer, fut changé en la fleur qui porte son nom. — Le turbulent François espéra conquérir dans la suite la couronne de Brabant et la main de la reine Élisabeth Ire d'Angleterre ; mais toutes ses entreprises furent ruinées, et il mourut phtisique en 1584.

67. — ÉLÉGIE[1]
[Contre les bûcherons de la forêt de Gastine[2].]

. . . .

Écoute, bûcheron, arrête un peu le bras;
20 Ce ne sont pas des bois que tu jettes à bas;
Ne vois-tu pas le sang[3] lequel dégoutte à[4] force
Des nymphes[5] qui vivaient dessous la dure écorce?
Sacrilège meurtrier[6], si on pend un voleur
Pour piller un butin de bien peu de valeur,
25 Combien de feux, de fers, de morts et de détresses
Mérites-tu, méchant, pour tuer nos déesses?

Forêt, haute maison des oiseaux bocagers!
Plus le cerf solitaire et les chevreuils légers
Ne paîtront sous ton ombre, et ta verte crinière
30 Plus du soleil d'été ne rompra la lumière.
Plus l'amoureux pasteur sur[7] un tronc adossé,
Enflant son flageolet[8] à[9] quatre trous percé,
Son mâtin à ses pieds, à son flanc la houlette,
Ne dira plus l'ardeur de sa belle Janette.
35 Tout deviendra muet, Écho[10] sera sans voix;
Tu deviendras campagne, et, en lieu de tes bois,
Dont l'ombrage incertain lentement se remue,
Tu sentiras le soc, le coutre et la charrue;
Tu perdras le silence, et haletants d'effroi
40 Ni Satyres ni Pans ne viendront plus chez toi.

---

1. Publiée en 1584. Composée à l'occasion de l'aliénation de la forêt de Gastine, à partir de 1573, par Henri de Bourbon (futur Henri IV), son propriétaire. A comparer avec la protestation de Bernard Palissy contre le déboisement dans la *Recette véritable* (1563) : « Je suis tout émerveillé de la grande ignorance des hommes, lesquels il semble qu'aujourd'hui ils ne s'étudient qu'à rompre, couper et déchirer les belles forêts que leurs prédécesseurs avaient si précieusement gardées. [...] Je ne puis assez détester une telle chose, et ne la puis appeler faute, mais une malédiction et un malheur à toute la France, parce qu'après que tous les bois seront coupés, il faut que tous les arts cessent et que les artisans s'en aillent paître l'herbe, comme fit Nabuchodonosor. » Plus haut Palissy protestait contre la mauvaise manière des bûcherons de tailler les bois : « Je m'émerveille que le bois ne crie d'être si vilainement meurtri... »; **2.** Ce titre célèbre est de l'édition de 1623; **3.** Cf. Ovide (*les Métamorphoses*, VIII, 761) racontant un sacrilège commis contre un bois sacré : « Quand il eut d'une main impie blessé le tronc du chêne, le sang coula par l'écorce déchirée comme celui du taureau aux pieds des autels... »; **4.** Avec force (cf. à peine); **5.** Dryades, hamadryades; **6.** Dissyllabique; **7.** Contre; **8.** Petit *flageol*, flûte à bec, aux sons très aigus; **9.** De; **10.** Nymphe des bois, qui s'abîma dans sa douleur d'être méprisée par Narcisse et à qui n'était restée que la voix.

Adieu, vieille forêt, le jouet de Zéphire,
Où premier[1] j'accordai les langues[2] de ma lyre,
Où premier j'entendis les flèches résonner
D'Apollon, qui me vint tout le cœur étonner[3],
45 Où premier, admirant ma belle Calliope[4],
Je devins amoureux de sa neuvaine trope[5],
Quand sa main sur le front cent roses me jeta,
Et de son propre lait Euterpe[6] m'allaita.
Adieu, vieille forêt, adieu têtes sacrées,
50 De tableaux[7] et de fleurs autrefois honorées,
Maintenant le dédain[8] des passants altérés,
Qui, brûlés en l'été des rayons éthérés,
Sans plus trouver le frais de tes douces verdures,
Accusent tes meurtriers[9] et leur disent injures.
55 Adieu, chênes, couronne aux[10] vaillants citoyens[11],
Arbres de Jupiter, germes Dodonéens[12],
Qui premiers aux humains donnâtes à repaître[13];
Peuples vraiment ingrats, qui n'ont su reconnaître
Les biens reçus de vous, peuples vraiment grossiers
60 De massacrer ainsi leurs pères nourriciers!
　　Que l'homme est malheureux qui au monde se fie!
O dieux, que véritable est la philosophie,
Qui dit que toute chose à la fin périra,
Et qu'en changeant de forme une autre vêtira[14]!
65 De Tempé[15] la vallée un jour sera montagne,
Et la cime d'Athos[16] une large campagne;
Neptune quelquefois[17] de blé sera couvert :
La matière demeure et la forme se perd[18].

---

1. Premièrement, tout d'abord. Cf. *Hymne de l'Automne*, 47; **2.** Les cordes;
3. Par la *foudroyante* révélation de la poésie dont Apollon est le dieu; **4.** Muse
de la poésie épique, « celle dont la voix est belle »; **5.** La troupe des neuf
Muses; **6.** Muse de la poésie lyrique, « celle qui charme »; **7.** Les nymphes
étaient honorées par des tableaux *(ex-voto)* et des couronnes de fleurs, suspen-
dus dans les feuillages. Cf. **51**, v. 6 et **62**, v. 11; **8.** Objet du dédain; **9.** Dissyllabique; **10.** Pour les; **11.** La couronne de feuilles de chêne avec les
glands était décernée aux soldats romains qui avaient sauvé la vie d'un cama-
rade (couronne civique); **12.** La forêt prophétique des chênes de Dodone
était consacrée à Jupiter. (Cf. **16**, v. 630); **13.** Les glands, d'après les Anciens,
étaient la nourriture des hommes primitifs, avant la révélation du blé par
Déméter; **14.** Vêtira une autre forme; **15.** Vallée du Pénée en Thessalie,
souvent célébrée par les poètes grecs pour sa fraîcheur; **16.** Montagne de
Grèce (1 935 mètres); **17.** Un jour; **18.** La « philosophie », exposée du v. 62 à
la fin est de Lucrèce, V, 235, ou de Pythagore d'après Ovide (*les Métamorphoses*, XV). Cf. **35** fin.

LES DERNIERS VERS
DE PIERRE DE RONSARD

— 68 —

STANCES

J'ai varié ma vie en dévidant la trame
Que Clothon[1] me filait entre malade et sain :
Maintenant[2] la santé je logeais en mon sein,
Tantôt la maladie, extrême fléau[3] de l'âme.

5 La goutte, jà vieillard, me bourrela les veines,
Les muscles et les nerfs, exécrable douleur !
Montrant en cent façons, par cent diverses peines,
Que l'homme n'est sinon le sujet de malheur.

L'un meurt en son printemps, l'autre attend la vieillesse,
10 Le trépas est tout un, les accidents divers ;
Le vrai trésor de l'homme est la verte jeunesse,
Le reste de nos ans ne sont que des hivers.

Pour longtemps conserver telle richesse entière,
Ne force ta nature, ains[4] ensuis la raison ;
15 Fuis l'amour et le vin, des vices la matière ;
Grand loyer t'en demeure en ta vieille saison.

La jeunesse des dieux aux hommes n'est donnée
Pour gaspiller sa fleur ; ainsi qu'on voit fanir[5]
La rose par le chaud, ainsi, mal gouvernée,
20 La jeunesse s'enfuit sans jamais revenir.

---

1. Une des Parques, *la Fileuse ;* **2.** Tantôt; **3.** Ne compte que pour une seule syllabe; **4.** Mais plutôt; **5.** Cf. *Ode à la Rose.*

— 69[1] —

Je n'ai plus que les os, un squelette je semble,
Décharné, dénervé, démusclé, dépulpé[2],
Que le trait de la mort sans pardon a frappé;
Je n'ose voir mes bras, de peur que je ne tremble.

5 Apollon et son fils[3], deux grands maîtres ensemble,
Ne me sauraient guérir, leur métier m'a trompé;
Adieu, plaisant soleil! mon œil est étoupé,
Mon corps s'en va descendre où tout se désassemble.

Quel ami, me voyant à ce point dépouillé,
10 Ne remporte au logis un œil triste et mouillé[4],
Me consolant au lit, et me baisant la face,

En essuyant mes yeux par la mort endormis?
Adieu, chers compagnons! adieu, mes chers amis!
Je m'en vais le premier vous préparer la place.

———————

— 70 —

Méchantes nuits d'hiver, nuits filles de Cocyte[5]
Que la terre engendra, d'Encelade[6] les sœurs,
Serpentes[7] d'Alecton[8], et fureur des fureurs,
N'approchez de mon lit, ou bien tournez plus vite.

5 Que fait tant le Soleil au giron d'Amphitrite[9]?
Lève-toi, je languis accablé de douleurs :
Mais ne pouvoir dormir c'est bien de mes malheurs
Le plus grand, qui ma vie et chagrine et dépite.

Seize heures pour le moins je meurs les yeux ouverts,
10 Me tournant, me virant de droit et de travers,
Sus l'un, sus l'autre flanc je tempête, je crie.

1. Publié en 1586 (voir *Notice*); 2. Qui a perdu sa pulpe; d'autres comprennent : qui a perdu le pouls; 3. Apollon et son fils Esculape, dieux guérisseurs chez les Anciens; 4. Cf. Tibulle (*Élégies*, I, 1) : « Pas un jeune homme, pas une jeune fille ne rentrera au logis l'œil sec... »; 5. Fleuve infernal, tributaire de l'Achéron; 6. Fils de la Terre, un des géants aux cent bras qui firent la guerre aux dieux; 7. Féminin comme *serpens* en latin; 8. Une des *Furies*, comme Tisiphone et Mégère : elles avaient des serpents entrelacés dans leurs cheveux; 9. La mer.

Inquiet je ne puis en un lieu me tenir,
J'appelle en vain le jour, et la mort je supplie,
Mais elle fait la sourde, et ne veut pas venir.

———————

— 71 —

Ah! longues nuits d'hiver, de ma vie[1] bourrelles[2],
Donnez-moi patience et me laissez dormir!
Votre nom seulement et suer et frémir
Me fait par tout le corps, tant vous m'êtes cruelles.

5 Le sommeil tant soit peu n'évente de ses ailes
Mes yeux toujours ouverts, et ne puis affermir
Paupière sur paupière, et ne fais que gémir,
Souffrant, comme Ixion[3], des peines éternelles.

Vieille ombre de la terre, ainçois[4] ombre d'enfer,
10 Tu m'as ouvert les yeux d'une chaîne de fer,
Me consumant au lit, navré de mille pointes;

Pour chasser mes douleurs amène-moi la mort;
Ha, Mort! le port commun, des hommes le confort,
Viens enterrer mes maux, je t'en prie à mains jointes.

———————

72. — LE TOMBEAU[5] DE L'AUTEUR
Composé par lui-même.

Ronsard repose ici, qui, hardi dès l'enfance,
Détourna d'Hélicon[6] les Muses en la France,
Suivant le son du luth et les traits d'Apollon;
Mais peu valut sa Muse contre l'aiguillon
5 De la mort, qui cruelle en ce tombeau l'enserre;
Son âme soit à Dieu, son corps soit à la terre!

1. La muette compte pour une syllabe; 2. Féminin de *bourreau ;* 3. Condamné pour avoir offensé Junon, devait tourner éternellement une roue aux Enfers; 4. Mais plutôt; 5. Épitaphe; 6. Montagne de Béotie, consacrée aux Muses.

73. — À SON ÂME[1]

Amelette Ronsardelette,
Mignonnelette, doucelette,
Très chère hôtesse de mon corps,
Tu descends là-bas faiblelette,
5 Pâle, maigrelette, seulette,
Dans le froid royaume des morts,
Toutefois simple, sans remords
De meurtre, poison, et rancune,
Méprisant faveurs et trésors
10 Tant enviés par la commune[2].

Passant, j'ai dit, suis ta fortune;
Ne trouble mon repos : je dors[3] !

— 74[4] —

Quoi, mon âme, dors-tu, engourdie en ta masse ?
La trompette a sonné, serre bagage, et va
Le chemin déserté que Jésus-Christ trouva,
Quand tout mouillé de sang racheta notre race.

5 C'est un chemin fâcheux[5] borné de peu d'espace,
Tracé de peu de gens, que la ronce pava,
Où le chardon poignant[6] ses têtes éleva :
Prends courage pourtant, et ne quitte la place.

---

1. Autre épitaphe, imitée de l'épigramme latine composée par l'empereur Adrien quelques jours avant sa mort : *Animula vagula blandula...* ; **2.** Le commun; **3.** Comparer avec l'épitaphe qui fut réellement gravée sur un marbre noir, au tombeau de Ronsard dans l'église de son prieuré. (Conservée au musée de Blois. Sur le tombeau. voir *Jugements*, p. 77.)

EPITAPHIUM	ENIM IACET HIC. QVO
PETRI RONSARDI POET. (*a*)	ORIENTE ORIRI MVSAE
PRINC. ET HVIVS COENOB. (*b*)	ET OCCIDENTE COMMO-
QVONDAM PRIORIS (*c*)	RI AC SECVM INHVMARI
	VOLVERVNT. HOC NON
D. M. (*d*)	INVIDEANT QVI SVNT
	SVPERSTITES. NEC PA-
CAVE VIATOR. CAVE. SACRA HAEC	REM SORTEM SPERENT
HVMVS EST. ABI NEFASTE.	NEPOTES. OBIIT VI.
QVAM CALCAS HVMVM	KAL. IAN. CIƆ IƆ LXXXV
SACRA EST. RONSARDVS	

a) poetarum principis; *b*) *cœnobii* : monastère; *c*) Prieur; *d*) DIIS MANIBVS.

4. Ce sonnet et le suivant ont été dictés par Ronsard agonisant, à l'un des religieux de Saint-Côme; **5.** Pénible; **6.** Qui *point*, piquant.

N'appose point ta main à la mansine[1], après[2]
10   Pour ficher ta charrue au milieu des guérets,
Retournant coup sur coup en arrière ta vue.

Il ne faut commencer, ou du tout s'employer;
Il ne faut point mener, puis laisser ta charrue :
Qui laisse son métier n'est digne de loyer[3].

———————

— 75 —

Il faut laisser maisons et vergers et jardins,
Vaisselles et vaisseaux[4] que l'artisan burine,
Et chanter son obsèque en la façon du cygne[5]
Qui chante son trépas[6] sur les bords Méandrins[7].

5   C'est fait! j'ai dévidé le cours de mes destins,
J'ai vécu, j'ai rendu mon nom assez insigne;
Ma plume vole au ciel, pour être quelque signe[8],
Loin des appas mondains[9] qui trompent les plus fins.

Heureux qui ne fut onc, plus heureux qui retourne
10   En rien comme il était, plus heureux qui séjourne,
D'homme fait nouvel ange, auprès de Jésus-Christ,

Laissant pourrir çà-bas sa dépouille de boue,
Dont le Sort, la Fortune et le Destin se joue[10],
Franc des liens du corps, pour n'être qu'un esprit.

———————

1. Manche de la charrue; **2.** Se rapporte au vers suivant; **3.** Récompense; **4.** Vases, forme masculine de *vaisselles*. C'était sans doute le présent de Marie Stuart (voir *Notice*, p. 8); **5.** Primitivement, l'usage, qui, pour certains mots persista jusqu'au XVIIIᵉ siècle, était de prononcer *cyne* pour *cygne*, *sine* pour *signe*, *dine* pour *digne*, de même *Renard* pour *Regnard*. Les armes parlantes de Racine étaient un « rat » et un « cygne »; **6.** On croyait que les cygnes chantaient, au moment de mourir, leurs adieux à la vie; **7.** Du Méandre, fleuve d'Asie Mineure, qui, avec son voisin le Caystre, était célèbre par ses cygnes; **8.** Astre. Pontus de Tyard avait prophétisé qu'après la mort du poète, apparaîtrait une constellation ronsardienne; **9.** Au sens chrétien; **10.** Accord avec le dernier sujet.

———————

DESTINÉE DE RONSARD
JUGEMENTS SUR SON ŒUVRE

XVIᵉ SIÈCLE. LA GLOIRE.

*La destinée littéraire de Ronsard compte parmi les plus mouve-
mentées. Il connaît, de son vivant et après sa mort, en France au
XVIᵉ siècle et à l'étranger pendant longtemps, une gloire à peu près
sans réserve.*

A la vérité, il serait mieux séant à chanter un cantique à Dieu,
que de pétrarquiser un sonnet, et faire l'amoureux transi, digne
d'avoir un chaperon à sonnettes; ou de contrefaire ces fureurs
poétiques à l'antique, pour distiller la gloire de ce monde et immortaliser celui-ci ou celle-là.

Théodore de Bèze,
Préface à *Abraham sacrifiant* (1550). Cf. **46**.

Heureux, de qui la mort de sa gloire est suivie,
Et plus heureux celui dont l'immortalité
Ne prend commencement de la postérité,
Mais devant que la mort ait son âme ravie.

Tu jouis, mon Ronsard, même durant ta vie
De l'immortel honneur que tu as mérité :
Et devant que mourir, rare félicité,
Ton heureuse vertu triomphe de l'envie.

Courage donc, Ronsard : la victoire est à toi,
Puis que de ton côté est la faveur du Roi.
Jà du laurier vainqueur tes tempes se couronnent.

Et jà la tourbe¹ épaisse à l'entour de ton flanc
Ressemble ces esprits, qui là-bas² environnent
Le grand prêtre de Thrace³ au long sourpely⁴ blanc.

J. Du Bellay,
les Regrets, XX (1558).

1. Troupe, du lat. *turba*, sans acception dénigrante; 2. Aux Champs Élysées;
3. Orphée (cf. Virgile. *En.* IV, 645, *Nec non Threicius longa cum veste sacerdos*);
4. Surplis.

Quant aux Français, je pense qu'ils l'(la poésie) ont montée au plus haut degré où elle sera jamais; et, aux parties en quoi Ronsard et Du Bellay excellent, je ne les treuve guère éloignés de la perfection ancienne.

> Montaigne,
> *Essais*, II, XVII (1580).

Ce ne sont point ici les obsèques d'un homme vulgaire et ordinaire comme les autres, ce sont les funérailles du Père commun des Muses et de la poésie. [...] Certes, pouvons-nous bien dire pour le moins de la poésie française, qu'elle a accompli son tour et sa révolution dans le cercle et dans le période de sa vie. Il l'a vue en son orient, il l'a vue en son occident, il l'a vue naître, il l'a vue mourir avec lui; elle a eu même berceau, elle aura même sépulture.

> Du Perron,
> *Oraison funèbre de P. de Ronsard* (1586).

Étant un jour à Venise, chez un des principaux imprimeurs, ainsi que je lui demandais un Pétrarque en grosse lettre, grand volume et commenté, il y eut un grand magnifique[1] près de moi, s'amusant à lire quelque livre, qui m'oyant, me dit, moitié en italien, moitié en assez bon français (car il avait été autrefois ambassadeur en France), qui me dit : « Mon gentilhomme, je m'étonne comment vous êtes curieux de chercher un Pétrarque parmi nous, puisque vous en avez un en votre France, plus excellent deux fois que le nôtre, qui est M. de Ronsard. » Et là-dessus se mit à l'exalter par-dessus tous les poètes qu'il avait jamais lus.

> Brantôme,
> *Vie des hommes illustres*, I (écrit vers 1585).

Après qu'il se fut réconcilié à l'envie, il eut cette faveur du ciel, que nul ne mettait la main à la plume, qui ne le célébrât par ses vers. [...] Soudain que[2] les jeunes gens s'étaient frottés à sa robe, ils se faisaient accroire être devenus poètes.

> Ét. Pasquier,
> *Recherches de la France*, VII, VI (1611).

On ne se lasse pas d'admirer et d'imiter Ronsard, à l'étranger, même quand sa gloire s'obscurcit en France. En Angleterre, Shakespeare ; en Espagne, Lope de Vega ; en Pologne, Kochanowski ; en Allemagne, Opitz, le rénovateur du Parnasse allemand ; en Hollande, Hooft ; en Scandinavie, Rosenhane (mort en 1684) ; en Italie, le lyrique Chiabrera (mort en 1638) ; le poète tragique Maffei (mort en 1755). Quelques-uns même protestent contre l'injustice que subit dans sa propre patrie celui qui est toujours pour eux le prince des poètes.

---

1. Nom des Seigneurs de la République; 2. Aussitôt que.

XVIIᵉ, XVIIIᵉ SIÈCLES. LA DÉCHÉANCE.

En France, une réaction très vive se manifeste au début du XVIIᵉ siècle contre Ronsard. Malherbe en fut le champion. Un nouvel idéal était né, au nom duquel les poètes, selon la loi qui veut que chaque génération déchire, pour se faire l'ongle et la dent, ceux dont elle a le plus reçu, condamnèrent chez Ronsard une langue impure qui ignorait le bel usage, un style trop peu châtié, une composition prolixe, une imitation scolaire des Anciens.

M. de Malherbe avait effacé plus de la moitié de son Ronsard, et en notait en marge les raisons. Un jour, Yvrande, Racan, Colomby et quelques autres de ses amis le feuilletaient sur sa table, et Racan lui demanda s'il approuvait ce qu'il n'avait point effacé. « Pas plus que le reste », dit-il. Cela donna sujet à la compagnie de lui dire que, si on trouvait ce livre après sa mort, on croirait qu'il aurait trouvé bon ce qu'il n'aurait pas effacé; sur quoi il acheva d'effacer tout le reste.

Racan,
Souvenirs.

Godeau, Balzac, Chapelain (qui, petit-fils d'un ami de Ronsard, avait été élevé dans l'admiration du vieux poète) essaient d'apporter un peu de justice dans leur condamnation : elle reste sévère.

Les noms de Ronsard et de Du Bellay ne doivent jamais être prononcés sans imprimer dans l'esprit de ceux qui les écoutent une secrète révérence. Mais la passion qu'ils avaient pour les anciens était cause qu'ils pillaient leurs pensées plus qu'ils ne les choisissaient.

Godeau,
Discours sur les œuvres de M. de Malherbe (1630).

Ce poète si célèbre et si admiré a ses défauts et ceux de son temps. Ce n'est pas un poète bien entier, c'est le commencement et la matière d'un poète. On voit dans ses œuvres des parties naissantes et à demi animées d'un corps qui se forme et qui se fait, mais qui n'a garde d'être achevé. C'est une grande source, il le faut avouer; mais c'est une source trouble et boueuse; une source où non seulement il y a moins d'eau que de limon, mais où l'ordure empêche de couler l'eau. Du naturel, de l'imagination, de la facilité, tant qu'on veut; mais peu d'ordre, peu d'économie, peu de choix. [...] A proprement parler, ces bonnes gens étaient des fripiers et des revendeurs.

Guez de Balzac,
XXXIᵉ entretien.

Ronsard, sans doute, était né poète autant ou plus que pas un des modernes, je ne dis pas Français, mais encore Espagnols et Italiens. [...] Je ne doute point que s'il fût né dans un temps où la langue eût été plus achevée et plus réglée, il n'eût [...] emporté l'avantage sur tous ceux qui font ou feront jamais des vers en notre langue. [...] Ce n'est qu'un maçon de poésie, il n'en fut jamais architecte.

Chapelain,
Lettre à Balzac (27 mai 1640).

Il ne faut pas croire que cette condamnation alla sans résistance. Balzac constate que les trois quarts du Parlement de Paris, et, généralement les autres parlements de France, que l'Université et les jésuites tiennent encore le parti de Ronsard contre la cour et l'Académie. Le grand poète du protestantisme, le vieux d'Aubigné, au seuil de ses Tragiques, *se proclamait hautement son disciple. Mathurin Régnier, Théophile de Viau défendaient contre les grammairiens vétilleux et les « architectes » les droits de la libre et nonchalante inspiration. Ils ne purent empêcher l'édition collective de 1630 d'être la dernière pour deux siècles et demi. De Ronsard ne surnagèrent dans les anthologies poétiques que quelques pièces célèbres :* Mignonne, allons voir si la rose, Quand je suis vingt ou trente mois. *Parfois, on entendait encore une servante d'auberge chanter en lavant la vaisselle une ode oubliée du poète décrié. Si on lisait Ronsard, on ne s'en vantait pas. Il fallait un certain courage à l'académicien Guillaume Colletet pour vouer à Ronsard un vrai culte et braver l'impiété triomphante :*

Aux mânes de Ronsard.

Afin de témoigner à la postérité
Que je fus en mon temps partisan de ta gloire
Malgré ces ignorants de qui la bouche noire
Blasphème parmi nous contre ta déité,

Je viens rendre à ton nom ce qu'il a mérité,
Belle âme de Ronsard, dont la sainte mémoire
Remportera du Temps une heureuse victoire,
Et ne se bornera que de l'éternité.

Attendant que le Ciel mon désir favorise
Que je te puisse voir dans les plaines d'Élise[1],
Ne t'ayant jamais vu qu'en tes doctes écrits,

Belle âme, qu'Apollon ses grâces me refuse,
Si je n'adore en toi le roi des grands esprits,
Le père des beaux vers et l'enfant de la Muse.

Guillaume Colletet.

1. Aux Champs Élysées.

Vers le milieu du siècle, le grand Arnauld déclare que « ç'a été un déshonneur pour la France d'avoir fait tant d'estime des pitoyables poésies de Ronsard ». Boileau enregistre la déchéance du « roi des poètes » dans l'opinion publique quand il montre l'hôte ridicule de son Repas, exaltant Ronsard, dans les fumées des mauvais vins (1665) ; il contresigne la condamnation de Malherbe :

> Ronsard qui le [*Marot*] suivit, par une autre méthode,
> Réglant tout, brouilla tout, fit un art à sa mode,
> Et toutefois longtemps eut un heureux destin.
> Mais sa Muse en français parlant grec et latin
> Vit dans l'âge suivant, par un retour grotesque,
> Tomber de ces grands mots le faste pédantesque.
> Ce poète orgueilleux, trébuché de si haut,
> Rendit plus retenus Desportes et Bertaut.

Boileau,
Art poétique, I, v. 123-130 (1674).

Il qualifie ses idylles de gothiques (chant II, v. 22), parce qu'il a travesti Lycidas en Pierrot et Phylis en Thoinon (cf. 50, v. 112) ; plus tard dans les Réflexions critiques sur Longin, il prétend que Ronsard n'a pu « attraper » le vrai génie de la langue, comme l'ont fait ses successeurs, parce que bien loin d'être en son point de maturité de son temps, elle « n'était pas encore sortie de sa première enfance ». La Fontaine le juge « dur, sans goût, sans choix ». Racine, lisant dans Quintilien ce passage sur Ennius : « Vénérons Ennius, comme ces bois que leur vieillesse a rendus sacrés, dont les énormes et antiques chênes méritent maintenant moins l'admiration qu'un respect religieux » (Instit. orat., X, 1), écrit en marge : Ronsard.

Ronsard et les auteurs ses contemporains ont plus nui au style qu'ils ne lui ont servi : ils l'ont retardé dans le chemin de la perfection ; ils l'ont exposé à le manquer pour toujours et à n'y plus revenir. Il est étonnant que les ouvrages de Marot, si naturels et si faciles, n'aient su faire de Ronsard, d'ailleurs plein de verve et d'enthousiasme, un plus grand poète que Ronsard et Marot.

La Bruyère,
les Caractères, I (1688).

Ronsard avait trop entrepris tout à coup. Il avait forcé notre langue par des inversions trop hardies et obscures ; c'était un langage cru et informe. [...] Il parlait grec en français, malgré les Français mêmes. Il n'avait pas tort, ce me semble, de tenter quelque nouvelle route pour enrichir notre langue, pour enhardir notre poésie et pour dénouer notre versification naissante. Mais en fait de langue on ne vient à bout de rien sans l'aveu des hommes pour lesquels on parle. [...] L'excès choquant de Ronsard nous a un peu jetés dans l'extrémité opposée : on a appauvri, desséché et gêné notre langue.

> Fénelon,
> *Lettre à l'Académie*, V (1715).

En somme la condamnation de Ronsard est invariable chez les grands classiques : il avait du génie, mais il est venu trop tôt, pour une langue trop jeune. Son œuvre est une noire forêt, hantée par les fées, où Le Nôtre n'a point ouvert ses belles allées.

Nul effort sérieux au XVIIIe siècle pour reviser le procès. Tel auteur d'anthologie comme M. Le Fort de la Moisnière craint de citer Ronsard, de peur d' « effrayer les oreilles ». Voltaire exclut Ronsard de son Temple du goût. L'Encyclopédie l'ignore ou à peu près. M. Rigoley de Juvigny en 1772 écrit, en pure perte : « Despréaux l'a jugé par ce qu'il avait de ridicule, sans faire aucune attention à son génie. » L'église désaffectée du prieuré de Saint-Cosme, où il reposait, est à moitié démolie ; son tombeau est dispersé : rien, pas même un débris, n'en marque plus la place.

XIXe SIÈCLE

La renaissance de Ronsard fut longue ; elle se produisit par étapes et dura un siècle.

L'étonnement des poètes étrangers, comme le poète lakiste anglais Southey (1774-1843), devant la proscription de cette gloire par son propre pays, ne fut peut-être pas sans stimuler le zèle national.

J'ai tant de respect pour Ronsard, tout Français qu'il fut, que je ne saurais aller à Tours, sans m'enquérir de son tombeau. [...] Aucun Français ne m'a jamais donné une telle impression de force.

> Southey,
> *Lettre à Landor* (1815).

En 1828, l'Académie ayant proposé aux candidats au prix d'éloquence un discours sur la littérature au XVIe siècle, Sainte-Beuve écrivit son Tableau de la poésie au XVIe siècle *(étude avec des extraits) ; c'est la première tentative en France pour réhabiliter Ronsard. Elle est méritoire, bien qu'elle soit encore incomplète. Sainte-Beuve ne vit surtout dans le poète trébuché, que le chantre anacréontique des roses et l'innocente victime des classiques ; les romantiques qui fréquentaient le salon de Victor Hugo où s'ouvrait l'antique in-folio offert par le jeune critique, étaient flattés de trouver enfin un parrain dans la tradition nationale élargie — un parrain, il est vrai, plutôt qu'un modèle et un idéal. Il ne s'agissait pas de reconstruire le temple ; un « autel expiatoire » paraissait suffisant pour ce poète dont la doctrine fondamentale était éloignée du romantisme.*

A Ronsard.

A toi Ronsard, à toi, qu'un sort injurieux
Depuis deux siècles livre aux mépris de l'histoire,
J'élève de mes mains l'autel expiatoire
Qui te purifiera d'un arrêt odieux.

Non que j'espère encore au trône radieux
D'où jadis tu régnais replacer ta mémoire;
Tu ne peux de si bas remonter à la gloire :
Vulcain impunément ne tomba point des cieux.

Mais qu'un peu de pitié console enfin tes mânes;
Que, déchiré longtemps par des rires profanes,
Ton nom, d'abord fameux, recouvre un peu d'honneur!

Qu'on dise : il osa trop, mais l'audace était belle;
Il lassa, sans la vaincre, une langue rebelle,
Et de moins grands, depuis, eurent plus de bonheur.

Sainte-Beuve,
*Tableau de la poésie française au XIV*ᵉ *siècle* (1828).

Sainte-Beuve fut bien loin d'obtenir une conversion unanime en faveur de son protégé, pour lequel il ne sollicitait qu'un peu d'honneur. Des critiques académiques comme Villemain et Nisard, des historiens aussi romantiques que Michelet restèrent irréductibles et insensibles à cet appel à la pitié.

Malgré tout ce qu'une critique moderne, savante et fort spirituelle peut dire en faveur de Ronsard, j'ai peine à concevoir que de vrais, d'ingénieux appréciateurs des Grecs et de Virgile aient pu jadis tant admirer Ronsard : l'éminente réputation de ce poète marque le peu de progrès que le goût avait alors fait en France.

A.-F. Villemain,
*Cours de littérature au XVIII*ᵉ *siècle* (1828).

Dans une de ses tours du château de Meudon, ce protecteur des lettres [le cardinal de Lorraine], logeait un maniaque, enragé de travail, de frénétique orgueil, le capitaine Ronsard[1], ex-page de la maison des Guise. Cet homme cloué là et se rongeant les ongles, le nez sur ses livres latins, arrachant des griffes et des dents les lambeaux de l'antiquité, rimait le jour, la nuit, sans lâcher prise. Jeune encore, mais devenu sourd, d'autant plus solitaire, il poursuivait la Muse de son brutal amour. [...] Il frappait comme un sourd sur la pauvre langue française.

J. Michelet,
Histoire de France, IX, VII (1855).

Cependant la source avait été rouverte ; le paganisme revenait à la mode, l'antiquité ; et Ronsard en bénéficiait. En 1852, Flaubert lit Ronsard le dimanche, tout haut, comme il faut le lire, « jusqu'à se défoncer la poitrine ». Gandar, en 1854, étudiait Ronsard imitateur d'Homère et de Pindare; Albert Glatigny, à quinze ans, poète du futur Parnasse, découvrait dans le grenier du gendarme son père un tome antique et dépareillé des œuvres du gentilhomme vendômois, et en recevait la révélation éblouissante de la poésie. P. Blanchemain fournit, de 1857 à 1867, l'édition complète dont le besoin se faisait sentir ; pour la première fois depuis 1630, Ronsard était rendu dans sa totalité, coulait dans sa plénitude de grand fleuve. Une statue lui est élevée à Vendôme en 1871. Et les poètes du Parnasse ne se lassent pas de publier leur enthousiasme.

A Ronsard.

O maître des charmeurs de l'oreille, ô Ronsard,
J'admire tes vieux vers, et comment ton génie,
Aux lois d'un juste sens et d'une ample harmonie
Sait dans le jeu des mots asservir le hasard.

Mais, plus que ton beau verbe et plus que ton grand art,
J'aime ta passion d'antique poésie,
Et cette téméraire et sainte fantaisie
D'être un nouvel Orphée aux hommes nés trop tard.

Ah! depuis que les cieux, les champs, les bois et l'onde
N'avaient plus d'âme, un deuil assombrissait le monde :
Car le monde sans lyre est comme inhabité!

Tu viens, tu ressaisis la lyre, tu l'accordes,
Et, fier, tu rajeunis la gloire des sept cordes,
Et tu refais aux dieux une immortalité.

Sully Prudhomme.

---

1. Confusion avec un homonyme.

De Baudelaire à nos jours, parmi les poètes les plus divers, il y en a peu qui n'aient au moins une fois « ronsardisé[1] » ou reconnu l'immense dette de la poésie envers lui.

XXᵉ SIÈCLE

Il restait à le mieux connaître pour le mieux honorer. Ce fut l'œuvre du XXᵉ siècle. Érudits et lettrés firent revivre sa noble figure, étudièrent sa vie, ses amours, ses vers. Il fut replacé à sa place — une des premières — dans l'histoire de la poésie. Trois éditions complètes, sans parler des anthologies ou des recueils séparés, marquent la faveur de notre âge pour le poète définitivement réhabilité. Paul Laumonier a commencé, dès 1914, la publication d'une édition critique. Le quatrième centenaire de Ronsard[2] a été célébré en 1924 avec éclat : des chœurs chantent la musique exhumée de ses odes et de ses sonnets ; statues et bustes lui sont élevés à Paris, à Tours, à Couture ; un timbre postal est tiré à son effigie ; des pèlerinages visitent les lieux qu'il a immortalisés. Tandis que les historiens des lettres réussissent à réintégrer Ronsard dans la grande tradition classique, la piété repentante découvre ses restes dans les ruines de Saint-Cosme (mai 1933).

Sauf pendant les jours tragiques où il ne pouvait plus « jouir de la franchise de son esprit » et où il a dû combattre pour son roi et pour son Dieu, la poésie est à ses yeux non pas la vie elle-même, mais l'honneur de la vie; non pas toute l'âme, mais ce qu'il y a dans l'âme d'éternellement jeune et dans la jeunesse d'éternellement beau; non pas toute la sagesse, mais ce qu'on peut mettre de sagesse dans nos divertissements et nos folies. [...] Remarquez qu'au fond cette conception (de la poésie) se rapproche beaucoup plus de celle des Malherbe, des Boileau, des La Fontaine, que de celle des romantiques. La fonction du poète ne consiste qu'à embellir l'existence et à récréer l'esprit des hommes. Le poète ne lit pas dans les étoiles la route du vaisseau : il consacre seulement la gloire des bons pilotes et des bons capitaines, et ses inventions heureuses trompent les passagers sur les tristesses du voyage. Ronsard fut un grand artisan de joie et de beauté.

A. Bellessort,
Sur les grands chemins de la poésie classique (1914).

Même dans une civilisation intellectuelle amoindrie, les Muses qu'il savait immortelles, veilleront sur sa mémoire. Nous ne sommes

---

1. Par exemple : Baudelaire, *Fleurs du mal* (1857) [Sonnet : Je te donne ces vers — ode : A une mendiante rousse]. J.-M. de Heredia — *les Trophées* — [sur le Livre des amours de P. de Ronsard] (1883). — Jean Moréas : *le Pèlerin passionné* (1891) [églogue à Francine]. — Jean Cocteau : *la Rose de François* (1922); **2.** Cf. Exposition « Ronsard et son temps », organisée à la Bibliothèque nationale (janvier 1925). Fêtes du IVᵉ centenaire de Ronsard en Vendômois (1924), etc.

pas d'ailleurs les seuls à l'honorer. On s'aperçoit que notre Ronsard est à certains égards le père de tout le lyrisme moderne. [...] Pour la France, son bienfait fut incomparable. Il a paru à l'heure où notre prose grandissait et devenait adulte, s'apprêtant aux nobles tâches de l'âge classique. Sans le Vendômois et le mouvement dont il fut l'âme, la poésie n'eût pas marché du même pas. On conçoit fort bien que la prose eût pris ses directions après Rabelais, avec Amyot et Montaigne, tandis que nos rimeurs arriérés auraient continué à construire le « chant royal » et le rondeau du vieux temps, ou se seraient attardés à des imitations sans avenir. Il fallait une main vigoureuse pour arracher la poésie à ces jeux stériles et la mener à de nouveaux destins. Ronsard en eut la force et la volonté, et son autorité sur les intelligences fut telle qu'ayant trouvé autour de lui les jeunes talents prêts à l'applaudir, il ne cessa jamais de les entraîner. Le renouvellement continu qu'il imposa à son génie est la plus belle leçon qui ressort de cette grande vie. Un tel écrivain a des droits certains à la reconnaissance de sa nation. Cette récompense doit s'ajouter à celle qui, dès ses premiers vers, sembla suffisante à sa fierté :

> L'honneur sans plus du vert laurier m'agrée.

P. de Nolhac,
Introduction aux œuvres complètes de Ronsard (1923).

QUESTIONS SUR LA TROISIÈME PARTIE

42. INSTITUTION POUR L'ADOLESCENCE DU ROI (p. 11).

Analyser la conception du souverain et du « métier de roi » chez Ronsard (comparer avec les contemporains : Rabelais, Budé, L'Hôpital, Pasquier). Jugement sur *Ronsard citoyen* : loyalisme, franchise courageuse, humanité, etc. Étudier le style didactique; la versification (art du vers et du quatrain sentencieux. Cf. Pibrac, Corneille...).

43. DISCOURS DES MISÈRES DE CE TEMPS (p. 14).

Expliquer, v. 43 à 74 : *piteux; séditieux; à jointes mains; en bref; généreuses; à tous périls; plaie; labeurs;* différence de *bataillé* et *guerroyé; mutin; courage; froisser.* — V. 115 à 189 : *fatal; siècles inconstants; âge; par* (172); *faux; tortue; licence; c'en dessus dessous* (orthographe correcte).

— Étudier le caractère oratoire du style : images, comparaisons, périphrases, personnifications, apostrophes, prosopopée, etc.

— Analyser l'émotion de Ronsard.

— Analyser son *idée de patrie* (amour du sol, culte des morts et des rois fondateurs, souci des générations à venir) et ses *idées politiques* (danger de l' « opinion » diviseuse, vœu d'une autorité supérieure aux partis).

44. CONTINUATION DU DISCOURS (p. 17).

Expliquer : *de siècle en siècle; nouveaux* (lat. : *novus); gendarmes; du* (101); *muèrent; gothique; courage; harnois.*

— Caractériser l'éloquence des huit premiers vers.

— Étudier l'adjuration à Th. de Bèze : le ton (à expliquer tant par la personnalité de Bèze que par l'émotion de Ronsard); le style; l'idée (le patriotisme de Ronsard; son aversion pour le protestantisme).

— Analyser la comparaison des v. 335-356, et en montrer la valeur *poétique* et *patriotique.*

45. REMONTRANCE AU PEUPLE DE FRANCE (p. 19).

Expliquer : *certaine; grâce; commune; chef* (65, 98); *connues; train.*

— Analyser cette curieuse profession de foi catholique; expliquer le mélange d'un paganisme rétrospectif (part du rêve poétique, part de l'amertume) et du christianisme reçu de la tradition (part du pur conformisme, part de la foi sincère); chercher chez les contemporains des attitudes du même genre (cf. en particulier la note du v. 78); comparer avec **35** et **75.**

— Étudier le style : poésie, éloquence.

— Étudier la verve *satirique* dans les v. 195 à 214.

46. Réponse aux injures et calomnies (p. 21).

[a] *(L'affaire du Bouc.)*

— Expliquer : *vomissant ; impudemment, impudent* (445-470); *croupe* (447), *nourrissons* (450); *voix hardie* (451); *bas style* (453); *doctement, docte* (454, 460); *licence honnête ; gaillard, bien appris ; se bordait ; sainte, peinte* (cf. **49**, v. 45); *pour* (467); *risée* (468); *fausse bourde*.

— Expliquer l'origine de l'accusation.

— Apprécier le style : fermeté, aisance, pittoresque.

— Jugement sur Ronsard polémiste : habileté (cf. avec les dithyrambes, note du v. 66, et chercher les détails ajoutés ou modifiés par les besoins du plaidoyer); dignité et bonhomie (justifier la correction des v. 469-470).

[b] *(La conception de la poésie.)*

— Expliquer : *cafard ; misérable ; fantaisie ; se suivant ; où* (650); *prompts ; brusque* (654); *prédicants ; gaillard ; à part ; se promène* (661); *libre contrainte ; prime ; avette ; embrasse ; bon esprit ; époinçonné ; porté*.

— Jugement sur la langue et le style.

— Définir la conception de la poésie chez Ronsard d'après ce passage; comparer avec la source; rapprochements avec Montaigne, Régnier (satire à Rapin), La Fontaine (épître à Mᵐᵉ de La Sablière), A. Chénier (« L'art ne fait que les vers, le cœur seul est poète »), les romantiques. Définir l'originalité de Ronsard.

[c] *(Le prestige de Ronsard.)*

— Expliquer : *ton aboyer ; environne ; signal ; ses envieux ; enflé ; gentille ; gentil* (794-812); *généreux ; gaillard ; pris* (797); *détresse ; requiers ; appât d'une bouche hérétique ; valet de boutique ; plénitude ; étude ; fertile veine ; sablon ; surgeon*.

— Expliquer l'attaque de l'adversaire.

— Composition du passage.

— Le ton : amertume, fierté.

— Commenter à l'aide des éclaircissements historiques et littéraires nécessaires le tableau que fait ici Ronsard de son œuvre : naissance du génie; objet de la réforme politique; procédés employés; influence persistante de Ronsard sur ses contemporains (cf. *Jugements*), malgré les dires de l'adversaire.

47. Hymne de l'automne (p. 25).

Remarques sur : *désert* (36); *cotte* (38); *petit agnelet* (42); *incontinent* (46); *sonna gravement* (47); *los* (59); *escarbouiller* (74); *dont* (82).

— Caractériser la langue, le style, le vers.

— Étudier l'intérêt biographique du passage (éclaircir les allusions); son intérêt littéraire : la vocation révélée dans la nature.

— L'inspiration antique, idée de la poésie et du poète (comparer avec écrivains anciens et modernes).

48. Sonnet sur le cœur d'Henri II (p. 27).

Remarques sur les mots suivants : *honneur* (4); *faits, embrasés* (5); *rondeur* (7); *enserre* (8); *places* (8) et *place* (9); *fallait* (9); *grand* (9); *en lieu de* (12); *pour* (14).

— Apprécier le sonnet : 1° en tant qu'épitaphe (sa genèse; son appropriation au monument...); 2° comme œuvre de style.

49. Élégie à Marie Stuart (p. 28).

Expliquer : *vive* (9, 17); *subtil* (19); *retors* (20); *vos toiles* (33); *bouffantes* (35); *déserts* (43) [cf. 39]; *pour ne rien voir de tel* (47); *un mortel* (48); *l'aube retournée* (49); *à chef baissé* (52).

— Analyser l'art de Ronsard *portraitiste* (expression, attitude, couleurs, costumes, paysage *précis* à l'arrière-plan...).

— Comparer avec les portraits des peintres du temps.

— Qualités de Ronsard, poète de cour : grâce et sentiment.

50. Bergerie (p. 30).

V. 86-102. Étudier le décor de l'*idylle* (la forêt de Fontainebleau); montrer et commenter la différence avec le décor du poème **49**.

— V. 103 à 141. Étudier le texte de Sannazar, traduction de Jean Martin (note 4), et définir l'originalité de Ronsard dans son imitation : détails personnels, mots propres, sonorités expressives.

— Ronsard *animalier*.

— Comparer avec la *Diane au cerf* de J. Goujon (Louvre).

— V. 142 à 176. Même question (cf. *le Bouc de Jodelle*, **46**).

— V. 221 à 272. Expliquer : *en lieu de* (221); *plis* (225); *d'allégresse* (226); *armé* (227); *à force* (228); *verdeur, consumée* (231); *pendu à* (232); *baillant* (233) [sens et rôle du mot]; *entonner* (244); *mignotés* (256); *étrange* (267); *dont* (269).

— Caractériser l'originalité de Ronsard par rapport à Sannazar (note du v. 221) et Théocrite (note du v. 259).

— Étudier Ronsard *artiste* (sens plastique).

Questions générales : L' « idylle » dans Ronsard : convention *apparente*, sentiment personnel de la vie rustique, de la beauté animale, de l'art.

— Examiner le jugement de Boileau sur les églogues de Ronsard (cf. *Jugements*).

51. Au roi Charles IX (p. 36).

Expliquer : *Prince* (1); *rende* (6); *imitant* (10); *les célestes* (10); *tous fruits* (11); *le vous offrant* (12).

— Éclaircir les allusions mythologiques.

— Étudier le développement de l'idée.

— Montrer ce que Ronsard sait mêler de grâce et de finesse personnelles à un compliment officiel.

52. LA SALADE (p. 37).

Remarques sur le sens, l'emploi ou la forme des mots suivants : *écartée* (5); *rejetée* (6); *paresse* (8); *heureuse* (15); *blanchirons* (27); *rompt, du tout rien* (31); *souv'rain* (32); *souci* (40); *pompes* (44); *pende* (54); *en chef grison, sur un coffre* (57); *gentil* (59); *temporel* (60); *se passe* (61); *mondaine* (66); *triste* (133); *soit, ou* (134); *charger* (137); *ici* (140); *d'ailleurs* (141).

— Quel est le sujet du poème? — A quel genre appartient-il?

— Étudier le naturel de la composition. — Montrer le caractère simple et gracieux du style.

— Analyser et caractériser les réflexions philosophiques de Ronsard.

— Portrait de Ronsard à Croixval, en 1568.

53. LA FRANCIADE. LIVRE II (p. 42).

Expliquer : *ore* (1190, 1191, 1213, 1297); *un lieu* (1214); *avant* (1221); *au prix de* (1223); *se bouger* (1236); *tout ainsi que* (1241); *de rudesse, de roideur* (1305-1309). — Sens des mots suivants : *éthérées* (1174); *froissa* (1180); *harnois* (1188); *grêle menu* (1192); *fier* (1217, 1235); *étonna* (1221); *chancelé* (1224); *brocardait* (1236); *horreur* (1292); *à demi-flancs* (1296); *faillait* (1303); *amusé* (1307); *imprime* (1319); *poignant* (1335); *assène* (1333).

— Divisions essentielles du combat.

— Étudier le caractère épique : 1º du style (précision dans la peinture des réalités et des mouvements...; les comparaisons « homériques »; les défauts...); 2º de l'inspiration (on en déterminera les éléments antiques et les éléments contemporains : influence de l'Arioste et mode des tournois. Cf. notes des v. 1187, 1189, 1217, 1235).

54. LA FRANCIADE. LIVRE IV (p. 47).

Expliquer : *vertu* (1592, 1633); *départie* (1594); *vrai saint pain* (1595); *horrible* (1597); *rompant* (1599); *d'autour ; hurlées* (1601); *aux* (1602); *peine* (1606); [cf. labeur : labour] ; *de* (1607, 1645); *vaut* (1632); *en* (1648); *oirront* (1653); *férue* (1653).

— Étudier, d'après le texte, Ronsard poète *épique*. 1º La versification : sonorités expressives. Ronsard a-t-il eu raison de renoncer à l'alexandrin? Étudier les coupes et les rimes; 2º le style : la force héroïque, les comparaisons homériques; 3º l'inspiration : élément antique et païen; élément national; élément chrétien (jugement sur l'opportunité de l'addition des v. 1593 à 1596; cf. v. 1604 : « Le peuple baptisé... »); élément personnel.

— Comparer avec Chateaubriand, *les Martyrs*, VI (combat des Francs et des Romains).

— Défauts et qualités de *Ronsard épique*.

QUESTIONS SUR LA QUATRIÈME PARTIE

55. Sur la mort de Marie (p. 52).

Expliquer : *feuille* (5, 8); *odeur* (6); *de pluie, ardeur* (7); *déclose* (8); *première et jeune nouveauté* (9); *cendre* (11); *obsèques* (12); *pleurs* (12).
— Étudier le développement de la comparaison et le mouvement du sonnet.
— Caractériser le style : valeur pittoresque, valeur émotive; la versification : coupes, sonorités; la répétition d'un grand nombre de mots, parfois à la rime (jeune, premier, ciel, plein, fleur, pleur, feuille, rose, repose), contrairement à l'usage des sonnettistes, peut-elle être justifiée?
— Caractériser l'inspiration : le paganisme (mythologie, rites antiques, sentiment de la mort); l'élément personnel : sentiment de la nature, de la beauté, émotion (comparer avec les *stances,* citées note 9).

56. Sonnets pour Hélène (p. 53).

Expliquer : *cet aller, ce parler* (4); *furieux* (7) [cf. v. 12]; *pour ce* (9); *à dédain* (13); *douce* (14).
— Composition et développement de l'idée. — La « chute ».
— Analyser le mélange de l'esprit et du sentiment.

57. Chanson (p. 53).

Expliquer : *mollet* (29); *ores... ores* (31); *échange; se suit* (34); *labeur* (35); *d'en bas* (37); *la troupe sainte autrefois amoureuse* (37); *sur tous* (38); *dessus* (41); *de toutes au milieu* (42); *marrie* (43).
— Analyser le charme de ce rêve amoureux d'outre-tombe (éléments antiques; imitation de Second; éléments personnels).
— Beauté du rythme.

— 58 — (p. 55).

Expliquer : *parfaite amitié* (2); *comme* (3); *jeune verdeur* (9); *tant peut* (11); *gentil* (11); *ensuivre* (12); *les plumes et le livre* (14).
— Composition du sonnet.
— Beauté du rythme et des sonorités; les rimes des tercets.
— L'inspiration : l' « amour courtois »; la grâce; la fierté.

— 59 — (p. 55).

Expliquer : *servage* (2); *ores* (3, 12); *sur, premier avril* (5); *fier* (6); *pour deuil* (7); *de nature* (10); *au gré de la peine* (11); *rassiéger* (14).
— Analyser le mélange de préciosité galante (v. 2, 6, 12 à 14) et d'émotion véritable (1 à 4, 9 à 11).

— 60 — (p. 56).

Montrez l'heureuse adaptation de souvenirs d'humaniste faite par le poète à ses amours et à la forme du sonnet.

— 61 — (p. 56).

Expliquer : *oyant* (5); *nouvelle* (5); *s'aller réveillant* (7); *fier* (12); *si m'en croyez* (13); *cueillez* (14).
— Étudier le rajeunissement d'un thème traditionnel (cf. avec **17** et **25**) : 1° par sa combinaison avec le thème de l'immortalité du poète; 2° par le développement dramatique de la pensée; 3° par le pittoresque des tableaux; 4° par le rythme et les sonorités (la correction du v. 7 est-elle heureuse ? Citer des rimes insuffisantes).

— 62 — (p. 57).

En quoi consiste le charme de ce sonnet ? Comparer avec le suivant.

— 63 — (p. 58).

Expliquer : *ton honneur coule* (1); *parmi* (1); *engravé* (2); *fleurisse* (6); *souvienne* (11); *quiconques* (12); *humant* (13).
— Analyser ce qui rend émouvant (amour, la nature immortalisant l'amour, etc.) ce divertissement païen d'humaniste (la part du jeu poétique doit être faite aussi par l'examen de la lettre à Scevole de Sainte-Marthe citée à la suite).
— Étude du style et de la versification (étudier en particulier les corrections; étudier les rimes des v. 11, 12, 14).

— 64 — (p. 59).

Expliquer : *une* (1); *funeste* (2); *dont, férut* (6); *diverses* (9); *tristesse enclose* (10); *valeurs* (11); *aime les regrets* (13).
— Étudier l'art dans le développement d'un parallèle (cf. **34**).
— Analyser la qualité *d'âme* qui apparaît dans ce sonnet.
— Remarque sur la place du sonnet dans les *Amours d'Hélène*.

— 65 — (p. 59).

Montrer l'intérêt biographique, psychologique et moral de ces *adieux à l'amour*.

66. À Monseigneur le duc de Touraine (p. 61).

Expliquer : *superbes* (1); *du ciel* (2); *cinq arpents* (3); *gaillards* (8); *célébrants* (11); *valeurs* (11).
— Caractériser le style : force (expliquer l'opposition des *hommes* [v. 5] et *l'homme* [v. 6]) et grâce.

— Montrer, en étudiant les circonstances de la composition de ce sonnet, le mélange heureux d'un grave enseignement moral et d'un compliment rustique rehaussé de mythologie (cf. **51**).

67. ÉLÉGIE (p. 62).

Expliquer : *des* (22); *détresses* (25); *bocagers* (27); *plus* (28); *rompra* (30); *ardeur de* (34); *campagne* (36, 66); *en lieu de* (36); *soc* (38); *haletants* (39); *ma* (45); *premiers* (57) [cf. v. 42]; *peuples* (58); *la philosophie* (62).
— Étudier d'après cette pièce le sentiment de la nature chez Ronsard : 1º éléments antiques; 2º éléments personnels : *a)* souvenirs d'enfance; *b)* impressions de poète; *c)* méditation d'homme (chercher les ressemblances et les différences avec Bernard Palissy).

68. STANCES (p. 64).

Qu'est-ce qu'une *stance*? Montrer la fermeté sentencieuse du style et caractériser l'inspiration du poème.

— 69 — (p. 65).

Expliquer : *leur métier* (6); *étoupé* (7); *où* (8); *au lit* (11).
— Étudier le style et la versification.
— Étudier la fusion des réminiscences païennes dans l'émotion.

— 70 — (p. 65).

Expliquer : *fureur des fureurs* (3); *tournez* (4); *chagrine, dépite* (8); *inquiet, en un lieu* (12).
— Montrer la beauté pathétique de cette peinture de l'insomnie, et la progression de l'émotion.

— 71 — (p. 66).

Comparer avec le sonnet précédent.

72. 73. LE TOMBEAU DE L'AUTEUR. A SON ÂME (p. 66).

Comparez ces deux épitaphes (versification, style, sentiment) et dites celle que vous préférez.
— Comparez-les avec l'épitaphe latine du musée de Blois (note 5).

— 74 — (p. 67).

Expliquer : *masse* (1); *race* (4); *tracé* (6); *coup sur coup* (11).
— Le style (étudier le développement de la comparaison).
— Analyser le caractère *purement* chrétien de l'inspiration.

— 75 — (p. 68).

Expliquer : *vergers* (1); *artisan burine* (2); *obsèque* (3); *dévidé* (5); *insigne* (6); *mondains* (8); *onc* (9); *çà-bas* (12); *franc* (14).

— Montrer le pathétique de ce chant du cygne : *a*) adieux à la vie; *b*) adieu à la gloire terrestre; *c*) espoir de l'immortalité céleste (cf. **35**, **75**).

QUESTIONS GÉNÉRALES. — Qu'y a-t-il de particulier dans le style et l'inspiration des *Sonnets pour Hélène* (**56** à **64**) ? — Quelle impression générale gardez-vous de la lecture des *Derniers Vers* (**70** à **75**) ? Comparez-les avec l'*Hymne de la mort*.

SUJETS DE DEVOIRS

Narrations, lettres et dialogues :

— Lettre de Du Bellay à Ronsard. — On supposera qu'en 1555 Ronsard a envoyé à Du Bellay, alors à Rome depuis deux ans, la nouvelle édition de ses *Odes*, la *Continuation des Amours* et les *Hymnes*. Réponse de Du Bellay. Il remercie d'avoir pensé à l'exilé, qui a trouvé une grande consolation à ses tristesses dans cette lecture. Il le félicite de continuer à illustrer glorieusement la langue nationale. Il célèbre l'épanouissement de son génie.

— Lettre de Marie Stuart à Ronsard (1565). — Elle remercie son poète de lui avoir envoyé la *Bergerie*. Il lui apporte au milieu de la barbarie et de la haine, l'air de la France regrettée qu'elle ne reverra plus, et les consolations inappréciables de la Muse. Elle lui annonce l'envoi d'un présent.

— Dialogue sous les arceaux de vigne. — Imaginer une conversation, dans le verger des Tuileries, près de la grotte rustique bâtie par Palissy, sous la présidence de la « docte » Hélène de Surgères, entre Ronsard « son poète », Bernard Palissy le potier saintongeois, et Orlando [Roland] de Lassus qui vient d'arriver en France, « le plus que divin Orlande » comme l'appelle Ronsard, sur les mérites et les charmes respectifs de la poésie, des arts plastiques et de la musique (septembre 1571).

— Réception du duc François de Touraine au prieuré de Saint-Cosme-en-l'Ile (narration) [août 1576. Cf. sonnet **66**].

— Lettre d'Agrippa d'Aubigné à Mathurin Régnier (1610). — Agrippa d'Aubigné était resté fidèle à la mémoire de Ronsard, malgré l'opposition de leurs religions. Il encourage Mathurin Régnier à défendre l'œuvre du père de la poésie contre Malherbe.

— Lettre de Guillaume Colletet à Chapelain (1650). En voyage dans le Vendômois où il recueille des documents pour une Vie de Ronsard qu'il prépare, et où il a senti grandir encore son admiration pour le vieux maître, il écrit à Chapelain, son confrère à l'Académie, pour protester contre le mépris injurieux où l'on tient aujourd'hui son œuvre et contre une condamnation mal fondée.

— Lettre du poète anglais Southey à Landor sur Ronsard (1815). Développer son jugement cité dans les *Jugements* : « Aucun Français ne m'a jamais donné une telle impression de force. »

— Lettre de Victor Hugo à Sainte-Beuve (1828). Sainte-Beuve, qui venait d'éditer son *Tableau de la poésie française au XVIe siècle*, offrit à Victor Hugo l'exemplaire de Ronsard (l'in-folio de 1630), sur lequel il avait travaillé, avec cette dédicace : « Au plus grand inventeur lyrique que la poésie française ait eu depuis Ronsard, le très humble commentateur de Ronsard, Sainte-Beuve. » Lettre de Victor Hugo pour le remercier de son présent et le féliciter d'avoir trouvé aux romantiques un ancêtre dans la tradition nationale.

— Lettre de Théodore de Banville à Paul Albert (1871). En 1871, alors qu'on se proposait d'inaugurer à Vendôme une statue de Ronsard, le critique Paul Albert protesta dans un sonnet :

> *Le deuil est sur la France, et c'est dans ce moment*
> *Que Vendôme à Ronsard élève une statue !*

Réponse de Théodore de Banville.

Dissertations, exposés :

— Comparer au point de vue du style et du fond les sonnets adressés à Ronsard par Colletet, Sainte-Beuve et Sully Prudhomme (voir *Jugements*).

— Expliquer, commenter et, s'il y a lieu, discuter ce mot de Pierre Louÿs : « La poésie française n'a que trois pages : *Création* « par Ronsard, *Destruction* par Boileau, *Résurrection* par André « Chénier. »

— Commenter ce jugement d'Émile Faguet relatif à l'influence de Ronsard sur les classiques : « Pour que, après avoir été enterré, son esprit revive dans toute la littérature poétique depuis le milieu du XVIIe siècle jusqu'au commencement du XIXe; pour que, sans l'imiter, en l'ignorant et en le détestant, on ait fait précisément tout ce qu'il a rêvé; pour qu'il ait été le modèle sans être le maître, le modèle sans être l'inspirateur, et le modèle sans qu'on sût même qu'il existât, mais le modèle malgré tout, le modèle malgré son absence, il fallait bien qu'il eût en lui l'âme même de la littérature classique française. » *(XVIe siècle.)*

— Commenter et discuter ce jugement de Rivarol sur l'œuvre de Ronsard comparé à Malherbe : « Si Ronsard avait bâti des chaumières avec des colonnes grecques, Malherbe éleva le premier des monuments nationaux. » (*Discours sur l'universalité de la langue française* [1784].)

— Ronsard est-il le légitime ancêtre des romantiques ?

— Montrer comment Ronsard a mis en pratique le conseil qu'il donne dans la deuxième préface de *la Franciade* : « Je te conseille d'apprendre diligemment la langue grecque et latine, voire italienne et espagnole, puis, quand tu les sauras parfaitement, te retirer en ton enseigne comme un bon soldat et composer en ta langue maternelle comme a fait Homère, Hésiode, Platon, Virgile, [...] Lucrèce, et mille autres, qui parlaient même langage que les laboureurs, valets et chambrières. »

— « Celui sera véritablement, écrit Du Bellay dans la *Défense*, le poète que je cherche en notre langue, qui me fera indigner, apaiser, éjouir, douloir, aimer, haïr, admirer, étonner, bref qui tiendra la bride de mes affections, me tournant çà et là à son plaisir. Voilà la vraie pierre de touche, où il faut que tu épreuves tous poèmes et de toutes langues. » Éprouvez Ronsard à cette pierre de touche et montrez pourquoi il fut le poète que cherchait le XVIe siècle.

— Le principe de l'imitation des Anciens a-t-il toujours été appliqué de la même façon par Ronsard ? Pourquoi, bien souvent, n'a-t-elle pas nui à son originalité ?

— Dans la conclusion du savant ouvrage de P. Laumonier consacré à *Ronsard, poète lyrique*, on lit que cet écrivain si fier d'avoir « pillé » (le mot est de lui) les littératures anciennes et de s'être enrichi de leurs dépouilles, demeure néanmoins très original et digne d'admiration pourvu qu'on se rende compte « qu'il a développé, avec autant de hardiesse que d'art, les thèmes lyriques de tous les temps *sur la nature*, la beauté, l'ambition, l'amour et la mort ; — qu'il a plus d'une fois uni harmonieusement l'âme antique et l'âme française ; — que son âme, à lui, se révèle à chaque instant sur les réminiscences érudites ; — que, de ses propres aventures, de sensations et d'émotions personnelles, il a su dégager une poésie de caractère général, qui est la poésie même de l'humanité ». Boileau, on le sait, eût estimé inadmissible un tel jugement. Expliquez-le et recherchez dans quelle mesure il est équitable.

— Quelle place occupe le *moi* dans le lyrisme de Ronsard ?

— La philosophie et la religion dans Ronsard.

— Étudiez les différents aspects du sentiment de la nature chez Ronsard.

— Portrait de « Pierre de Ronsard gentilhomme vendômois ».

— Dans quelle mesure la connaissance des arts de la Renaissance permet-elle de mieux comprendre le lyrisme de Ronsard ?

———

TABLE DES MATIÈRES

Imp. LAROUSSE, 1 à 9, rue d'Arcueil Montrouge (Seine).
Décembre 1933. — Dépôt légal 1934-2e. — No 1281.— No de série Editeur 1192.
IMPRIMÉ EN FRANCE (Printed in France). — 1911-9-57.